2/99

BIBLIOTECA DE BOLSILLO

El escritor y sus fantasmas

ERNESTO SABATO nació en Rojas, provincia de Buenos Aires, en 1911, hizo su doctorado en física y cursos de filosofía en la Universidad de La Plata, trabajó en radiaciones atómicas en el Laboratorio Curie y abandonó definitivamente la ciencia en 1945 para dedicarse exclusivamente a la literatura. Ha escrito varios libros de ensayo sobre el hombre en la crisis de nuestro tiempo, y tres novelas cuyas versiones definitivas se honró en presentar Seix Barral al público de habla hispana en 1978: *El túnel* en 1948, *Sobre héroes y tumbas* en 1961 y *Abaddón el exterminador* en 1974 (premiada en París como la mejor novela extranjera publicada en Francia en 1976). Escritores tan dispares como Camus y Greene, como Quasimodo y Piovene, como Gombrowicz y Nadeau han escrito con admiración sobre su obra, que ha obtenido el premio Cervantes y el premio Menéndez Pelayo.

Ernesto Sabato

El escritor y sus fantasmas

BIBLIOTECA DE BOLSILLO

Primera edición
en Biblioteca de Bolsillo: octubre 1997

Córcega, 270 - 08008 Barcelona

ISBN: 84-322-3141-X

Depósito legal: B. 38.639 - 1997

Impreso en España

PALABRAS PRELIMINARES A LA PRIMERA EDICIÓN

Este libro está constituido por variaciones de un solo tema, tema que me ha obsesionado desde que escribo: ¿por qué, cómo y para qué se escriben ficciones? Innumerables veces me he formulado yo mismo estas preguntas, o me las han formulado lectores y periodistas. Y en cada una de esas ocasiones he ido haciendo conciencia de esas oscuras motivaciones que llevan a un hombre a escribir seria y hasta angustiosamente sobre seres y episodios que no pertenecen al mundo de la realidad; y que, por curioso mecanismo, sin embargo parecen dar el más auténtico testimonio de la realidad contemporánea.

No sé qué valor en la estética o en la ontología puedan alcanzar estas notas, pero sí sé que tienen el valor de los documentos fidedignos, pues han sido elaboradas al meditar, reiterada y encarnizadamente, sobre mi propio destino de escritor. Hablo, pues, de literatura como un paisano habla de sus caballos. Mis reflexiones no son apriorísticas ni teóricas, sino que se han ido desenvolviendo con contradicciones y dudas (muchas de ellas persistentes), a medida que escribía las ficciones: discutiendo conmigo mismo y con los demás, en este país o en estos países en que constantemente hay gentes que nos dicen lo que es y lo que debería ser una literatura nacional. Tienen, en suma, algo del "diario de un escritor" y se parecen más que nada a ese tipo de consideraciones que los escritores han hecho siempre en sus confidencias y en sus cartas. Por lo cual he preferido mantener esa forma reiterativa y machacante pero viva, un poco el mismo desorden obsesivo con que una y otra vez esas variaciones se han presentado en mi espíritu.

¿Para quién escribo este libro? En primer término, para mí mismo, con el fin de aclarar vagas intuiciones sobre lo que hago en mi vida; luego, porque pienso que pueden ser útiles para muchachos que, como yo en mi tiempo, luchan por encontrarse, por saber si de verdad son escritores o no, para ayudarlos a responderse qué es eso de la ficción y cómo se elabora; también para nuestros lectores, que muy a menudo nos escriben o nos detienen en la calle a propósito de nuestros libros, ansiosos por ahondar en nuestra concepción general de la literatura y de la existencia; y, en fin, para ese tipo de crítico que nos explica cómo y para qué debemos escribir.

En cualquier caso, el que leyere puede tener la certeza de que no está frente a gratuitas o ingeniosas ideas o doctrinas, sino frente a cavilaciones de un escritor que encontró su vocación duramente, a través de ásperas dificultades y peligrosas tentaciones, debiendo elegir su camino entre otros que se le ofrecían en una encrucijada, tal como en ciertos relatos infantiles, sabiendo que uno y sólo uno conducía a la princesa encantada. Leerá, en fin, las cavilaciones de un escritor latinoamericano, y por lo tanto las dudas y afirmaciones de un ser doblemente atormentado. Porque si en cualquier lugar del mundo es duro sufrir el destino del artista, aquí es doblemente duro, porque además sufrimos el angustioso destino de hombre latinoamericano.

Santos Lugares, 1961/63.

ERNESTO SABATO

ALGUNOS INTERROGANTES

¿TIENEN razón los pensadores que anuncian el ocaso del género novelístico? ¿No es la obra de un Joyce y de un Beckett algo así como la reducción al absurdo de toda la literatura de ficción? ¿Es la gran crisis de nuestro tiempo también la crisis general del arte, su total y básica deshumanización? ¿Hemos llegado a una situación sin salida y no queda sino convertir nuestras novelas en caóticos instrumentos de desintegración?

Todas estas preguntas me han preocupado a lo largo de muchos años, pues para mí, como para otros escritores de hoy, la literatura no es un pasatiempo ni una evasión, sino una forma —quizá la más completa y profunda— de examinar la condición humana.

El tema de lo que es la novela y en particular lo que es la novela de nuestro tiempo sigue siendo en Europa y entre nosotros motivo de discusión, y principalmente por dos causas: la vitalidad de este género literario, más vivo que nunca a pesar de todos los vaticinios funerarios, y su versatilidad o impureza. Palabra ésta que debiera ponerse entre comillas, porque siempre es impertinente cuando no se refiere al mundo de las ideas platónicas sino al confuso e inevitablemente impuro mundo de los seres humanos. Y así, todas las reflexiones acerca de la pureza de la poesía, de la pintura, de la música y sobre todo de la novelística, no concluyen sino en el bizantinismo.

Todos sabemos, en efecto, qué es una sinusoide o una

geodésica, entes que pueden y deben definirse con absoluto rigor. Como pertenecientes al universo matemático, no sólo son puros sino que no pueden no serlo. La grosera sinusoide que dibujamos con la tiza sobre un pizarrón es apenas un mapa para guiar nuestra condición carnal en aquel transparente universo platónico, ajeno a la tiza, a la madera y a la mano que torpemente realiza el dibujo.

Pero ¿qué es una novela pura? Nuestra manía de racionalizarlo todo, consecuencia de una civilización que no ha creído más que en la Razón pura (¡así le ha ido!), nos condujo a la candorosa suposición de que en alguna parte existía un Arquetipo del elusivo género novelístico, arquetipo que debía ser escrito de acuerdo con la buena conducta filosófica con mayúscula: "Novela", así. Y que escritores naturalmente precarios tratan de aproximar mediante intentos más o menos rudos que, para señalar su deshonrosa degradación, deben ser denominadas "novelas" con minúscula.

Lamentablemente o por suerte no hay Arquetipo. Con evidente asco, pero con precisión que él no suponía elogiosa, Valéry lo dijo: *Tous les écarts lui appartiennent.* Claro que sí. Simultánea o sucesivamente, la novela sufrió todas las violaciones, como los países que por eso mismo han sido tan fecundos en la historia de la cultura: Italia, Francia, Inglaterra, Alemania. Y de ese modo fue simple narración de hechos, análisis de sentimientos, registro de vicisitudes sociales o políticas. Ideológica o neutra, filosófica o candorosa, gratuita o comprometida, fue tantas cosas opuestas entre sí, tuvo y tiene una complejidad tan indescifrable que sabemos lo que es una novela si no nos lo preguntan, pero comenzamos a titubear cuando lo hacen. Pues, ¿qué puede haber de común entre obras tan dispares como el *Quijote*, *El proceso*, *Werther* o el *Ulises* de Joyce?

IDEAS EN LA NOVELA

UNO de los escritores partidarios de la literatura "objetiva" sostiene que el novelista debe limitarse a describir los actos externos, visibles y audibles de sus personajes, absteniéndose de cualquier otra manifestación, por falsa y perniciosa.

La literatura de nuestro tiempo ha renegado de la razón, pero no significa que reniegue del pensamiento, que sus ficciones sean una pura descripción de movimientos corporales, de sentimientos y emociones. Esta literatura no sostiene la descabellada teoría de que los personajes no piensan: sostiene que los hombres, en la ficción como en la realidad, no obedecen a las leyes de la lógica. Es el mismo pensamiento que nos ha vuelto cautos, al revelarnos sus propios límites en esta quiebra general de nuestra época. Pero, en otro sentido, nunca como hoy la novela ha estado tan cargada de ideas y nunca como hoy se ha mostrado tan interesada en el conocimiento del hombre. Es que no se debe confundir conocimiento con razón. Hay más ideas en *Crimen y Castigo* que en cualquier novela del racionalismo. Los románticos y los existencialistas insurgieron contra el conocimiento racional y científico, no contra el conocimiento en su sentido más amplio. El existencialismo actual, la fenomenología y la literatura contemporánea constituyen, en bloque, la búsqueda de un nuevo conocimiento, más profundo y complejo, pues incluye el irracional misterio de la existencia.

SOBRE LITERATURA NACIONAL

SÍ. Los rusos tenían hacia mediados del siglo pasado problemas muy parecidos a los nuestros, y por causas sociales muy semejantes. Uno de esos problemas fue el de la llamada "literatura nacional" y la lucha entre occidentalistas y eslavófilos. Perteneciente Rusia a la periferia de Europa, con rasgos de sociedad y mentalidad feudales, siempre mostró cierta similitud con España (país que tampoco tuvo en forma cabal el fenómeno renacentista). No es simple casualidad que el mejor Quijote se haya filmado en Rusia, y que tradicionalmente el personaje de Cervantes haya suscitado tanto interés y haya sido tan profundamente comprendido en aquella otra tierra de desmesura y sinrazón. Este parentesco se acentuó en algunos países coloniales de España, sobre todo en la vieja Argentina de las grandes llanuras. Hasta el punto que una novela como *Ana Karénina*, con sus criadores de toros de raza y sus gobernantas francesas, con sus estancias y sus burócratas, con sus señores patriarcales y sus generales, podía entenderse perfectamente aquí. Cuando en 1938 yo estudiaba en París, un ruso blanco que trabajaba de chofer y que comía conmigo en el mismo restaurante se admiraba del conocimiento y la comprensión que yo tenía de las novelas y personajes rusos, diciéndome que, en cambio, era muy difícil encontrar algo parecido entre los franceses. Tuve que decirle que no era un caso personal mío sino algo muy generalizado entre los estudiantes argentinos, y me vi obligado a empezar el análisis de ese curioso fenómeno. ¿Usted ha leído *Oblomov*? Pues si en lugar de té ese caballero toma mate puede pasar aceptablemente por cierto género de argentino de hace unas décadas. La desorganización, el sentido del tiempo precapitalista, la desmesura, la pampa y la estepa, la vida patriarcal de nuestras viejas familias, la educación europea y afrancesada, el desdén y al mismo tiempo el orgullo por lo nacional, el parecido entre los eslavófilos y los hispanizantes, el parecido entre nuestros doctores liberales y los intelectuales rusos que también leían a

Considerant y a Fourier, el movimiento político y revolucionario entre los estudiantes y obreros, el anarquismo y el socialismo, etcétera, etcétera. Motivos por los cuales yo podía sentir las *Memorias del Subterráneo* mucho mejor que aquel viejecito profesor francés de la Sorbonne, al que yo escuchaba, para el cual los personajes de Dostoievsky eran nuevos ricos de la conciencia, individuos poco menos que dementes, bárbaros incapaces de apreciar las ideas claras y netas, tan disparatados e irresponsables como para afirmar que dos más dos puede ser igual a cinco, contra todas las tradiciones de los cartesianos y de los ahorristas franceses. ¿Y cómo aquellos bárbaros moscovitas, como nosotros, podían no admirar la refinada cultura de los occidentales, sus toros escoceses, las novelas francesas, la filosofía alemana, los balnearios de Baden Baden, las playas europeas y sus casinos? Y así, por los mismos motivos que nosotros, se hicieron *europeístas*, rasgo tan típicamente eslavo o rioplatense como el vodka o el mate; al revés de lo que creen aquí nuestros sociólogos apresurados, que lo consideran un rasgo de alienación. Qué va a serlo, hombre: es un característico rasgo nuestro. Los europeos no son europeístas: son simplemente europeos.

Me parece que ha llegado el momento en que asumamos nuestra realidad espiritual con entereza, sin arrogancias pero también sin sentimientos de inferioridad. Hemos llegado a la madurez, y uno de los rasgos de una nación madura es la de saber reconocer sus antecedentes sin resentimiento y sin rubor. Estoy hablando del Río de la Plata, no de México ni del Perú, donde el problema difiere por la poderosa herencia cultural indígena. Aquí la ciudad y la cultura se edificaron sobre la nada, sobre una pampa recorrida por tribus salvajes y duras. Casi todo nos llegó aquí de Europa: desde el lenguaje y la religión (dos poderosísimos factores de cultura) hasta la mayor parte de la sangre de sus habitantes. Si fuéramos consecuentes con los que a cada rato nos están reprochando el "europeísmo", deberíamos escribir sobre la caza del avestruz en lenguaje pampa. Todo lo demás sería adventicio, cosmopolita, antinacional. Es fácil advertir la magnitud de este desatino. Nuestra cultura proviene de Europa y no podemos evitarlo. Además ¿por qué evitarlo? ¿Con qué reemplazar esa preciosa herencia? Lo que hagamos de original se hará con esa herencia o no haremos nada en absoluto. No recuerdo quién le decía a Gide que no leía nada para no perder su originalidad. Si uno ha nacido para decir cosas novedosas no va a perder esa facultad leyendo libros o mamando en otras culturas; y si no ha nacido para eso, tampoco perderá nada leyendo esos libros ajenos. Además, esto es nuevo, vivimos en un continente distinto y fuerte, y todo se desarrolla con un sentido diferente aunque los materiales básicos vengan de allá. En el momento mismo en que los conquistadores españoles pisaron el territorio de América nació una nueva cultura y hasta un nuevo castellano: sus formidables ríos, sus altísimas montañas, sus dilatadas pampas, sus culturas aborígenes, sus soles y lunas, sus bellezas y atrocidades, sus lluvias y pantanos engendrarían esa nueva cultura con los machos que llegaban a poseerlos. ¿Qué, quieren una originalidad absoluta? No existe. Ni en el arte ni en nada. Todo se construye sobre lo anterior, y en nada humano es posible encontrar la pureza. Los dioses griegos también eran híbridos y estaban "infectados" de religiones orientales y egipcias. También Faulkner proviene de Joyce, de Huxley, de Balzac, de Dostoievsky. Hay páginas de *El ruido y el furor* que parecen plagiadas del *Ulises*. Hay un fragmento de *El molino del Flos* en que una mujer se prueba un sombrero frente a un espejo: es Proust. Quiero decir, el germen de Proust. Todo lo demás es desarrollo. Desarrollo genial, casi canceroso, pero desarrollo al fin. Lo mismo pasa con *Bartleby*, que prefigura a Kafka. Para qué vamos a hablar de nosotros: Sarmiento está "infectado" de Fenimore Cooper, Shakespeare, Chateaubriand y Lamartine; pero a pesar de todo es capaz de asimilar todo ese material extranjero para darnos una gran obra americana. Ahora está de moda hablar aquí de Arlt: todo él está moldeado por Dumas, Sue, Gorki, la picaresca española, Dostoievsky, Paul de Kock. ¿Y qué podríamos decir del lenguaje? Formidable herencia cultural que no sólo no podemos sino que no debemos negar, pero que como toda herencia cultural es enriquecida por los herederos de genio; y no es poco decir que el castellano de hoy tuvo su mayor empuje en el siglo XIX por obra de creadores americanos como Sarmiento y Martí, así como Darío fue su amo indiscutido a comienzos del siglo XX.

A éstos que rechazan el elemento europeo habría que recordales que toda cultura es híbrida y que es candorosa la idea de algo platónicamente americano. ¿Quién iba a imaginar que del contacto de aquellas tribus bárbaras que bajaban de los bosques y pantanos del Nordeste europeo con la refinada cultura romana iba a salir el estilo gótico? En cuanto a nuestra América, piense solamente en la música afroamericana. Los negros, al entrar en contacto con la cultura anglosajona, terminaron por producir el arte más original de la América del Norte y uno de los aportes más fértiles a la nueva música. Y sin embargo, nace de una mezcla de espíritu religioso africano, corales luteranos, tristeza esclavista, ritmos negros, canciones irlandesas y escocesas. Por otra parte, esa influencia africana se ha dado en todo el continente, ya que toda la música popular, desde el Norte hasta el extremo Sur, tiene ingredientes negros. Y para responder a los que sostienen que nuestro continente no ha dado nada original al mundo, bastaría recordar que desde comienzos de este siglo, *todos* los bailes populares que dominan el mundo entero son americanos: el jazz en todas sus formas, la música afrocubana, los bailes brasileños y el tango argentino. Y si tenemos presente que las danzas populares son la expresión primigenia de una cultura y de la vitalidad de esa cultura, no cabrán dudas sobre la vigencia de América. Habría todavía que señalar que tanto el jazz norteamericano como el tango argentino son formas culturales de gran importancia y de poderosa originalidad. El tango es la única danza popular "introvertida", a la inversa de todas las danzas populares que son extrovertidas. El tango es triste, es dramático, expresa muy bien el rasgo esencial del hombre rioplatense: su frustración, su nostalgia, su espíritu introspectivo, su desencuentro, su rencor y su descontento.

NOVELA PSICOLÓGICA Y NOVELA SOCIAL

Los propagandistas de la literatura "social" atacan a la literatura "psicológica" como perniciosa y contrarrevolucionaria. Creo que el paralogismo es así: lo psicológico es lo que por excelencia pertenece al individuo, el individuo solitario es un egoísta al que no le importa el mundo que lo rodea (y sufre) o un contrarrevolucionario que intenta hacernos creer que el problema está dentro del alma y no en la organización social. Etcétera.

Pero el individuo solo no existe: existe rodeado por una sociedad, inmerso en una sociedad, sufriendo en una sociedad, luchando o escondiéndose en una sociedad. No ya sus actitudes voluntarias y vigilantes son la consecuencia de ese comercio perpetuo con el mundo que lo rodea: hasta sus sueños y pesadillas están producidos por ese comercio. Los sentimientos de ese caballero, por egoísta y misántropo que sea ¿qué pueden ser, de dónde pueden surgir sino de su situación en ese mundo en que vive? Desde este punto de vista, la novela más extremadamente subjetiva, de una manera más o menos tortuosa o sutil nos da un testimonio sobre el universo en que su personaje vive.

Y lo que esos críticos llaman "novela social" es una manera externa y superficial de la novelística. No sabemos qué escritores "sociales" hubo en la época de Tolstoi, porque si los hubo no tuvieron la suficiente importancia como para que trascendieran y los conozcamos. En cambio, los grandes escritores rusos que no se propusieron describir los fenómenos sociales, *además* de indagar implacablemente el corazón del hombre ruso de su tiempo, nos han dejado la más admirable pintura de su sociedad. Ya que sus personajes no viven en el aire: son generales, prostitutas, burócratas, estudiantes. Eso no implica, claro, que en cualquier novela un escritor dé testimonio de *toda* la realidad. Si cae un témpano en un lago produce un tremendo oleaje; si cae una piedrecita, la perturbación es apenas perceptible.

EL ESCRITOR Y LOS VIAJES

PARA bien y para mal, el escritor verdadero escribe sobre la realidad que ha sufrido y mamado, es decir sobre la patria; aunque a veces parezca hacerlo sobre historias lejanas en el tiempo y en el espacio. Creo que Baudelaire dijo que la patria es la infancia. Y me parece difícil escribir algo profundo que no esté unido de una manera abierta o enmarañada a la infancia. Por eso aun los grandes expatriados, como Ibsen o Joyce, siguieron tejiendo y destejiendo esa misma y misteriosa trama. Viajar es siempre un poco superficial. El escritor de nuestro tiempo debe ahondar en la realidad. Y si viaja debe ser para ahondar, paradojalmente, en el lugar y en los seres de su propio rincón.

EL PRINCIPAL PROBLEMA DEL ESCRITOR

TAL vez sea el de evitar la tentación de juntar palabras para hacer una obra. Dijo Claudel que no fueron las palabras las que hicieron *La Odisea*, sino al revés.

TÉCNICA DE LA NOVELA

PARA mí, la novela es como la historia y como su protagonista el hombre: un género impuro por excelencia. Resiste cualquier clarificación total y desborda toda limitación. En cuanto a la técnica, considero legítimo todo lo que es útil para los fines perseguidos, e ilegítimas aquellas innovaciones que se hacen por la innovación misma. Así, al volver el hombre del siglo XX la mirada hacia un mundo hasta ese momento casi desconocido, como es el subconsciente, era inevitable y legítimo el empleo del monólogo interior. La novela de hoy se propone fundamentalmente una indagación del hombre, y para lograrlo el escritor debe recurrir a todos los instrumentos que se lo permitan, sin que le preocupen la coherencia y la unicidad, empleando a veces un microscopio y otras veces un aeroplano. Sería ridículo examinar un microbio a simple vista y un país con un microscopio. Esta es una de las fallas de los llamados objetivistas, y, en general, de todos los que intentan hacer ese descenso o viaje al fondo de la condición humana con un solo vehículo: sacrifican la verdad y la profundidad al prurito del método único, cuando debe ser al revés; ya que *nada* en la novela debe hacer sacrificar la verdad. En definitiva, son decadentes, como sucede cada vez que se prefiere el *cómo* al *qué*. Como si un hombre que debe dar la vuelta al mundo en ochenta días y tiene como único objetivo el cumplimiento de ese plan, por manía purista se propusiera hacerlo exclusivamente en elefante o en bicicleta, cuando es sabido que es tan ineficaz atravesar un río en bicicleta como correr en una buena carretera con elefante. La misión del hombre es dar la vuelta al mundo en ochenta días, no favorecer el prestigio de los elefantes o la venta de bicicletas.

Ningún creador realmente grande se ha detenido en ese pretencioso purismo. Piénsese en Faulkner. Se dice que no practica con rigor el objetivismo, se citan sus "fallas" en los tratados de estos nuevos académicos, se compara su obra con la de un señor Hammet, perfecto. Dejando de lado el pequeño detalle de que toda la obra de Hammet no equivale a un solo cuento de Faulkner, no comprenden además que esas "fallas" son precisamente sus amplitudes, sus fuerzas, su vitalidad. Para no hablar de Joyce, especie de muestrario de todas las técnicas y todos los estilos: desde el barroquismo más extremo hasta el esquematismo más duro y clásico, desde la pura sensación hasta la idea pura, desde el documento más minucioso hasta la fantasía más delirante.

LA CONDICIÓN MÁS PRECIOSA DEL CREADOR

El fanatismo. Tiene que tener una obsesión fanática, nada debe anteponerse a su creación, debe sacrificar cualquier cosa a ella. Sin ese fanatismo no se puede hacer nada importante.

La filosofía, por sí misma, es incapaz de realizar la síntesis del hombre disgregado: a lo más puede entenderla y recomendarla. Pero por su misma esencia conceptual no puede sino recomendar conceptualmente la rebelión contra el concepto mismo, de modo que hasta el propio existencialismo resulta una suerte de paradójico racionalismo. La auténtica rebelión y la verdadera síntesis no podía provenir sino de aquella actividad del espíritu que nunca separó lo inseparable: la novela. Que por su misma hibridez, a medio camino entre las ideas y las pasiones, estaba destinada a dar la real integración del hombre escindido; a lo menos en sus más vastas y complejas realizaciones. En estas novelas cumbres se da la síntesis que el existencialismo fenomenológico recomienda. Ni la pura objetividad de la ciencia, ni la pura subjetividad de la primera rebelión: la realidad desde un yo; la síntesis entre el yo y el mundo, entre la inconsciencia y la conciencia, entre la sensibilidad y el intelecto. Es claro que esto se ha podido dar en nuestro tiempo, pues, al quedar libre la novela de los prejuicios cientificistas que pesaron en algunos escritores del siglo pasado, no sólo se mostró capaz de dar el testimonio del mundo externo y de las estructuras racionales, sino también de la descripción del mundo interior y de las regiones más irracionales del ser humano, incorporando a sus dominios lo que en otras épocas estuvo reservado a la magia y a la mitología. En general, su tendencia ha sido la de derivar de un simple documento a lo que debería llamarse un "poema metafísico". De la Ciencia a la Poesía.

Como se ve, se trata en buena medida de retomar la idea de los románticos alemanes, que veían en el arte la suprema síntesis del espíritu. Pero apoyada ahora en una concepción más compleja, que si no fuera por la grandilocuencia de la expresión habría que denominar "neorromanticismo fenomenológico". Pienso que esta doctrina puede resolver los dilemas en que se ha venido agotando la teoría: novela psicológica contra novela social, novela objetiva contra novela subjetiva, novela de hechos contra novela de ideas. Concepción integralista a la que corresponde un integralismo de las técnicas.

LA NOVELA Y LOS TIEMPOS MODERNOS

MUCHAS de las bizantinas discusiones sobre la crisis de la novela se deben a que se plantea el problema de modo intrínsecamente literario. No creo que se logre ninguna claridad ni que se llegue a una conclusión neta y valedera si no se plantea el fenómeno de la novela como epifenómeno de un drama infinitamente más vasto, exterior a la literatura misma: el drama de la civilización que dio origen a esa curiosa actividad del espíritu occidental que es la ficción novelesca. El nacimiento, desarrollo y crisis de esa civilización es también el desarrollo y crisis de la novela. Examinar el problema de la ficción únicamente a través de las disputas de capillas literarias, de las aperturas o limitaciones lingüísticas o estilísticas es condenar el examen a la confusión y la intrascendencia. Ninguna actividad del espíritu y ni uno solo de sus productos puede entenderse y juzgarse aisladamente en el estrecho ámbito de su ciudadanía: ni el arte, ni la ciencia, ni las instituciones jurídicas; pero muchísimo menos esa actividad que tan entrañablemente aparece unida a la condición total y misteriosa del hombre, reflejo y muestrario de sus ideas, angustias y esperanzas, testimonio total del espíritu de su tiempo. Esto no significa recaer en el viejo defecto del determinismo positivista, que veía en una obra artística el resultado de factores externos, posición justamente criticada por el estructuralismo. Significa que si la obra de arte es una estructura, a su vez debe ser considerada como integrante de una estructura más vasta, que la incluye; del mismo modo que la estructura de una melodía perteneciente a una sonata no "vale" en sí misma sino en su interrelación con la obra entera.

DESPERTAR AL HOMBRE

DECÍA Donne que nadie duerme en la carreta que lo conduce de la cárcel al patíbulo, y que sin embargo todos dormimos desde la matriz hasta la sepultura, o no estamos enteramente despiertos.

Una de las misiones de la gran literatura: despertar al hombre que viaja hacia el patíbulo.

EL ARTE COMO CONOCIMIENTO

DESDE Sócrates, el conocimiento sólo podía alcanzarse mediante la razón pura. Al menos ése ha sido el ideal de todos los racionalismos hasta los románticos, cuando la pasión y las emociones son reivindicadas como fuente de conocimiento, momento en que llega a afirmar Kierkegaard que "las conclusiones de la pasión son las únicas dignas de fe".

Los dos extremos, por supuesto, son exagerados y el dislate proviene de aplicar a los hombres, un criterio válido para las cosas y recíprocamente. Es de toda evidencia que la rabia o la mezquindad no agregan nada al teorema de Pitágoras.

Pero también es evidente que la razón es ciega para los valores; y no es mediante la razón ni por medio del análisis lógico o matemático que valoramos un paisaje o una estatua o un amor. La disputa entre los que señalan la primacía de la razón y los que defienden el conocimiento emocional es, simplemente, una disputa acerca del universo físico y del hombre. El racionalismo (no olvidemos que *abstraer* significa *separar*) pretendió escindir las diferentes "partes" del alma: la razón, la emoción y la voluntad; y una vez cometida la brutal división pretendió que el conocimiento sólo podía obtenerse por medio de la razón pura. Como la razón es universal, como para todo el mundo y en cualquier época el cuadrado de la hipotenusa es igual a la suma de los cuadrados de los catetos, como lo válido para todos parecía ser sinónimo de La Verdad, *entonces lo individual era lo falso por excelencia*. Y así se desacreditó lo subjetivo, así se desprestigió lo emocional y el hombre concreto fue guillotinado (muchas veces en la plaza pública y en efecto) en nombre de la Objetividad, la Universalidad, la Verdad y, lo que fue más tragicómico, en nombre de la Humanidad.

Ahora sabemos que estos partidarios de las ideas claras y definidas estaban esencialmente equivocados, y que si sus normas son válidas para un pedazo de silicato es tan absurdo querer conocer el hombre y sus valores con ellas como pretender el conocimiento de París leyendo su guía de teléfonos y mirando su cartografía. Ahora cualquiera sabe que las regiones más valiosas de la realidad (las más valiosas para el hombre y su destino) no pueden ser aprehendidas por los abstractos esquemas de la lógica y de la ciencia. Y que si con la sola inteligencia no podemos siquiera cerciorarnos que existe el mundo exterior, tal como ya lo demostró el obispo Berkeley, ¿qué podemos esperar para los problemas que se refieren al hombre y sus pasiones? Y a menos que neguemos realidad a un amor o a una locura, debemos concluir que el conocimiento de vastos territorios de la realidad está reservado al arte y solamente a él.

SUPERIORIDAD DEL ARTE SOBRE EL PENSAMIENTO

"La faiblesse des oeuvres de discussion, sur quelque sujet que ce soit, vient de ce qu'elles s'adressent à la logique et que, la raison humaine étant sans base et toujours flottante, tous les plus grands écrivains sont tombés dans d'effroyables contradictions. Mais les oeuvres d'imagination, qui ne parlent qu'au coeur par le sentiment, ont une éternelle vie et n'ont pas besoin d'une *synthèse* immuable pour vivre. Aristote, Abélard, saint Bernard, Descartes, Leibniz, Kant et tous les philosophes se renversent les uns par les autres et les uns sur les autres. Mais Homère, Virgile, Horace, Shakespeare, Molière, La Fontaine, Calderon, Lope de Vega se soutiennent mutuellement et vivent dans une eternelle jeunesse pleine de grâces renaissantes et d'une freaîcheur toujours renouvelée." (Vigny)

BALZAC Y LA CIENCIA

En el prefacio a la *Comédie Humaine*, Balzac explica un poco su credo novelístico, y leemos palabras como éstas: "L'animal est un principe qui prend sa forme extérieure, ou mieux, les différences de sa forme, dans les milieux où il est appelé à se développer. Les espéces zoologiques résultent de ces différences... Pénétré de ce système, je vis que la société ressemble à la nature. Ne fait-elle pas de l'homme, suivant les milieux, où son action se déploie, autant d'hommes différents qu'il y a de variétés zoologiques?... Il y a donc existé, il existirá de tout temps des espèces zoologiques. La différence entre un soldat, un ouvrier, un administrateur, un oisif, un savant, un homme d'Etat, un commerçant, un marin, un poète, un pauvre, un pretre, sont aussi considérables que celles qui distinguent le loup, le lion, l'âne, le corbeau, le requin, le veau marin, la brebis."

Fragmento que revela dos cosas a la vez: primera, la invasora potencia del naturalismo científico de aquella época; segunda, que el genio creador de un novelista puede más que las ideas que conscientemente profesa. Lo que prueba que no se escriben novelas importantes con la sola cabeza.

EXPLORADORES, MÁS QUE INVENTORES

HAY probablemente dos actitudes básicas que dan origen a los dos tipos fundamentales de ficción: o se escribe por juego, por entretenimiento propio y de los lectores, para pasar y hacer pasar el rato, para distraer o procurar unos momentos de agradable evasión; o se escribe para buscar la condición del hombre, empresa que ni sirve de pasatiempo, ni es un juego, ni es agradable.

Efectivamente, es casi normal, para no decir que es inevitable, esta sensación de desagrado que produce la lectura de una novela de esta naturaleza. Y eso se debe a que no sólo la exploración de las simas del corazón humano es agobiante sino que, proponiéndoselo o no, este tipo de ficción nos produce un desasosiego que tampoco es placentero. Maurice Nadeau sostiene que una novela que deje tal cual al escritor y al lector es una novela inútil. Es cierto. Cuando hemos terminado de leer *El proceso* no somos la misma persona que antes (y seguramente tampoco Kafka después de escribirlo).

Si denominamos *gratuito* aquel género de ficción que sólo está hecho para procurar esparcimiento o placer, a éste podemos llamarlo *problemático*, palabra que a mi juicio es más acertada que la de comprometido.

Esta clase de ficción no posee el ingenio y la superficial intriga que precisamente caracterizan al género lúdico. A esa superficial intriga se opone el apasionado interés que suscita la complicación problemática del ser humano, ese ser que se debate en medio de una tremenda crisis; y el trivial misterio de la novela policial o del relato fantástico es reemplazado aquí por el misterio esencial de la existencia, por la dualidad del espíritu y por la opacidad que inevitablemente tienen los seres vivientes.

Por otra parte, es como si este novelista aplicara a casos conocidos o frecuentes un monstruoso lente de aumento y un aparato radiográfico que entra hasta en los estratos más ocultos del hombre; de modo que su exploración es más bien una pesquisa en profundidad que en extensión. A los numerosos (y teóricamente infinitos) relatos que un Somerset Maugham puede hacernos de enfermeras, espías, traficantes de drogas y aventureros en Singapur o en Hong Kong o en cualquier otro colorido y exótico escenario (historias que hoy resultan más apropiadas para el cine-pasatiempo, para las series de televisión o para las foto-novelas), el novelista de la crisis opone unos poquísimos libros donde personas que viven por lo general en el mismo lugar del lector, acaso en la misma calle, se revelan como misteriosos universos, en cuyos enigmas, sin embargo, ese vecino reconoce el germen de sus propias pesadillas y sus propias, ocultas y reprimidas pasiones.

Este escritor, pues, no es tanto un *inventor* como un *explorador* o *descubridor.*

Resulta claro que en tales condiciones es más posible encontrar "objetividad" en los novelistas lúdicos que en los problemáticos pues si es posible contar con indiferencia o prescindencia la historia para un programa de TV de un contrabandista o de un espía en Hong Kong, es radicalmente imposible esa objetividad para un escritor que angustiosamente expresa el drama del hombre contemporáneo.

El paisaje externo, el pintoresquismo de costumbres o lenguajes o trajes, tan esencial en el otro tipo de narración, aquí pasa a un lugar insignificante; pues no es el propósito que se persigue esa clase de descripciones, y el mundo externo existe casi únicamente en función del drama personal, como proyección de la subjetividad: esa nieve, si esa nieve está vinculada al drama; esa escalera, si esos escalones de alguna manera miden la angustia o la espera del protagonista, o porque en ese otro piso está la persona que determina su destino.

PUREZA DEL ARTE

ALGUNOS opinan que en la poesía pura no deben intervenir los ingredientes filosóficos o políticos; otros proscriben la anécdota; otros, en fin, echan la rima, los valores musicales. Construyendo un poema que respondiese a todas esas prohibiciones no quedaría nada, que es al fin de cuentas la más intachable forma de la pureza.

En general, cada vez que en el arte se empieza a mencionar esta palabra, podemos estar seguros de que comienza un período de bizantinismo. Pero si esta clase de manías es grave o simplemente ridícula para la poesía o la pintura ¿qué podríamos decir de la novela, actividad tan impura como la propia historia, de la que es su hermana nocturna y delirante?

CAPILLAS LITERARIAS

THOMAS MANN dice, en alguna de sus novelas o ensayos, que el hombre solitario es capaz de enunciar más originalidades y más tonterías que el hombre social. Esto vale también para la literatura. Cierto aislamiento, cierto bárbaro aislamiento, como siempre tuvo el artista en los Estados Unidos, es fértil para la creación de algo fuerte y novedoso. No es necesario, como lo prueba gente como Proust o como Tolstoi; tampoco es suficiente, como lo prueba tanto idiota aislado. Digo, con muchos "ciertos" y "quizá", que de vez en cuando es bueno y fertilizante, como ha sido fertilizante para la ultrarrefinada literatura europea la inyección de esa sangre de escritores como Hemingway.

En Buenos Aires, como en París, padecemos esas galerías de espejos que son las capillas. Y así sucede que la mayor parte de sus integrantes (falsamente multiplicados por los espejos, como esos negocitos mezquinos de hoy en día) no hacen literatura sino *literatura de literatura*, una especie de literatura a la segunda potencia, únicamente apta para iniciados y exquisitos conocedores. Por eso se rieron del *Martín Fierro.*

NOCHE Y DÍA

"EL hombre es un dios cuando sueña y no es más que un mendigo cuando piensa." (Hölderlin)

LAS OBRAS SUCESIVAS

LAS obras sucesivas de un novelista son como las ciudades que se levantan sobre las ruinas de las anteriores: aunque nuevas, materializan cierta inmortalidad, asegurada por antiguas leyendas, por hombres de la misma raza, por crepúsculos y pasiones semejantes, por ojos y rostros que retornan.

PLANES Y OBRAS

DOSTOIEVSKY se propuso escribir un folletito didáctico contra el alcoholismo en Rusia, que se llamaría *Los borrachos*: terminó por salirle *Crimen y Castigo.*

En cuanto a sus personajes, podemos presumir que no siempre los centrales son los que más profundamente lo representan. Podríamos creer que el intelectual Raskólnikov es el portavoz de su autor, dividido como él, y hombre de ideas. Pero a último momento le surgió, parece, ese siniestro Svidrigailov que seguramente encarna la parte más tenebrosa del autor, al lado de quien el criminal Raskólnikov es un alma de Dios.

¿CRISIS DEL ARTE O ARTE DE LA CRISIS?

EN este momento crucial de la historia se produce uno de los fenómenos más curiosos: se acusa al arte de estar en crisis, de haberse deshumanizado, de haber volado todos los puentes que lo unían al continente del hombre. Cuando es exactamente al revés, tomando por un arte en crisis lo que en rigor es el arte de la crisis, pero lo que sucede es que se partió de una falacia. Para Ortega, por ejemplo, la deshumanización del arte está probada por el divorcio existente entre el artista y su público. No advirtiendo que pudiera ser exactamente al revés, que no fuera el artista el deshumanizado, sino el público. Es obvio que una cosa es la humanidad y otra muy distinta el público-masa, ese conjunto de seres que han dejado de ser hombres para convertirse en objetos fabricados en serie, moldeados por una educación estandarizada, embutidos en fábricas y oficinas, sacudidos diariamente al unísono por las noticias lanzadas por centrales electrónicas, pervertidos y cosificados por una manufactura de historietas y novelones radiales, de cromos periodísticos y de estatuillas de bazar. Mientras que el artista es el único por excelencia, es el que gracias a su incapacidad de adaptación, a su rebeldía, a su locura, ha conservado paradojalmente los atributos más preciosos del ser humano. ¿Qué importa que a veces exagere y se corte una oreja? Aun así estará más cerca del hombre concreto que un razonable amanuense en el fondo de un ministerio. Es cierto que el artista, acorralado y desesperado, termina por huir al África, a los paraísos del alcohol o la morfina, a la propia muerte. ¿Indica todo eso que es él quien está deshumanizado?

"Si nuestra vida está enferma —escribe Gauguin a Strindberg— también ha de estarlo nuestro arte; y sólo podemos devolverle la salud empezando de nuevo, como niños o como salvajes... Vuestra civilización es vuestra enfermedad."

Lo que hace crisis no es el arte sino el caduco concepto burgués de la "realidad", la ingenua creencia en la realidad externa. Y es absurdo juzgar un cuadro de Van Gogh desde ese punto de vista. Cuando a pesar de todo se lo hace —¡y con qué frecuencia!— no puede concluirse sino lo que se concluye: que describen una especie de irrealidad, figuras y objetos de un territorio fantasmal, productos de un hombre enloquecido por la angustia y la soledad.

El arte de cada época trasunta una visión del mundo y el concepto que esa época tiene de la *verdadera realidad* y esa concepción, esa visión, está asentada en una metafísica y en un *ethos* que le son propios. Para los egipcios, por ejemplo, preocupados por la vida eterna, este universo transitorio no podía constituir lo *verdaderamente* real: de ahí el hieratismo de sus grandes estatuas, el geometrismo que es como un indicio de la eternidad, despojados al máximo de los elementos naturalistas y terrenos; geometrismo que obedece a un concepto profundo y no es, como algunos apresuradamente creyeron, incapacidad plástica, ya que podían ser minuciosamente naturalistas cuando esculpían o pintaban desdeñables esclavos. Cuando se pasa a una civilización mundana como la de Pericles, las artes hacen naturalismo y hasta los mismos dioses se representan en forma "realista", pues para ese tipo de cultura profana, interesada fundamentalmente en esta vida, la realidad por excelencia, la "verdadera" realidad es la del mundo terrenal. Con el cristianismo reaparece, y por los mismos motivos, un arte hierático, ajeno al espacio que nos rodea y al tiempo que vivimos. Al irrumpir la civilización burguesa con una clase utilitaria que sólo cree en este mundo y sus valores materiales, nuevamente el arte vuelve al naturalismo. Ahora en su crepúsculo, asistimos a la reacción violenta de los artistas contra la civilización burguesa y su *Weltanschauung*. Convulsivamente, incoherentemente muchas veces, revela que aquel concepto de la realidad ha llegado a su término y no representa ya las más profundas ansiedades de la criatura humana.

El objetivismo y el naturalismo de la novela fueron una

manifestación más (y en el caso de la novela, paradojal) de ese espíritu burgués. Con Flaubert y con Balzac, pero sobre todo con Zola, culmina esa estética y esa filosofía de la narración, hasta el punto de que por su intermedio estamos en condiciones no sólo de conocer las ideas y vicios de la época sino hasta el tipo de tapizados que se acostumbraba. Zola, que hizo la reducción al absurdo de esta modalidad, llegó hasta levantar prontuarios de sus personajes, y en ellos anotaba desde el color de sus ojos hasta la forma de vestir de acuerdo con las estaciones. Gorki malogró en parte sus excelentes dotes de narrador por el acatamiento de esa estética burguesa (que él creía proletaria), y afirmaba que para describir un almacenero era necesario estudiar a cien para entresacar los rasgos comunes, método de la ciencia, que permite obtener lo universal eliminando los particulares: camino de la esencia, no de la existencia. Y si Gorki se salva casi siempre de la calamidad de poner en escena prototipos abstractos en lugar de tipos vivos es a pesar de su estética, no por ella; es por su instinto narrativo, no por su desatinada filosofía.

Muchas décadas antes de que Gorki se entregara a esta concepción, Dostoievsky terminaba de destruirla y abría las compuertas de toda la literatura de hoy en las *Notas desde el subterráneo*. No sólo se rebela contra la trivial realidad objetiva del burgués sino que, al ahondar en los tenebrosos abismos del yo, encuentra que la intimidad del hombre nada tiene que ver con la razón, ni con la lógica, ni con la ciencia, ni con la prestigiosa técnica.

Ese desplazamiento hacia el yo profundo se hace luego general en toda la gran literatura que sobreviene: tanto en ese vasto mural de Marcel Proust como en la obra aparentemente objetiva de Franz Kafka.

No obstante, Wladimir Weidlé, en su conocido ensayo

afirma que asistimos al ocaso de la novela porque el artista de hoy "es impotente para entregarse por completo a la imaginación creadora", obsesionado como está por su propio ego; y frente a los grandes novelistas del siglo XIX, dice, "a esos escritores que, como Balzac, creaban un mundo y mostraban criaturas vivientes desde fuera, a esos novelistas que, como Tolstoi, daban la impresión de ser el propio Dios, los escritores del siglo XX son incapaces de trascender su propio yo, hipnotizados por sus desventuras y ansiedades, eternamente monologando en un mundo de fantasmas".

DEL COSMOS AL HOMBRE

LA preocupación del ser humano ha estado siempre sometida a un ritmo: del Universo al Yo, del Yo al Universo. Es curioso que siempre haya empezado por interrogar el vasto universo: mucho antes que Sócrates se preguntara sobre el bien y el mal, sobre el destino de nuestra vida y sobre la realidad de la muerte, los filósofos niños de Jonia habían buscado el secreto del Cosmos, la misión del agua y del fuego, el enigma de los astros.

Hoy, como cada vez que el ciclo platónico retorna al punto catastrófico, el hombre dirige su atención a su propio mundo interior. Y el gran tema de la literatura no es ya la aventura del hombre lanzado a la conquista del mundo externo sino la aventura del hombre que explora los abismos y cuevas de su propia alma.

EL ESCRITOR, VOZ DE SU TIEMPO

"IL faut que les quatre cents législateurs dont jouit la France sachent que la littérature est au-dessus d'eux: que la Terreur, que Napoleón, que Louis XIV, que Tibère, que les pouvoirs les plus violents, comme les institutions les plus fortes, disparaissent devant l'écrivain qui se fait la voix de son siècle." (Balzac)

Y también de Balzac: "Aujourd'hui, l'écrivain a remplacé le prêtre, il a revêtu la chlamyde des martyrs, il souffre mille maux, il prend la lumière sur l'autel et la répand au sein des peuples; il est prince, il est mendiant; il console, il maudit, il prie, il prophétise."

LITERATOS Y ESCRITORES

"La profesión de escritor tiene un lado penoso, que consiste en que el trabajo lo obliga a uno a mezclarse con una serie de literatos. Para guardar las apariencias, una o dos veces por año, hay que concurrir a una reunión y pasar varias horas en compañía de críticos, autores radiales y gente que lee libros. Todos ellos hablan una jerga que sólo pueden entender los literatos. Únicamente después de proceder a una purificación de fondo puede uno recobrarse y caminar con la cabeza en alto, como un ser humano." (E. Caldwell)

MARX Y LA LITERATURA BURGUESA

Un conocido revolucionario del siglo XIX llamado Karl Marx, a quien nadie puede acusar de proclividad pequeñoburguesa, recitaba a Shakespeare de memoria, se extasiaba con Byron y Shelley, elogiaba a Heine y consideraba a ese reaccionario de Balzac como un admirable gigante. Y tanto él como F. Engels se lamentaban de que un genio como Goethe se rebajase al filisteísmo y a los honores de su pequeño ministeriazgo ducal. No ignoraban sus contradicciones humanas y filosóficas, sabían perfectamente hasta qué punto Goethe era un artista de las clases reaccionarias; pero no obstante lo amaban y admiraban, lo consideraban como una contribución definitiva a la cultura de la humanidad.

Hermosa lección para ciertos revolucionarios de bolsillo.

Pienso que el signo más sutil de que una sociedad está ya madura para una profunda transformación social es que sus revolucionarios se revelen capaces de comprender y recoger la herencia espiritual de la sociedad que termina. Si eso no sucede, la revolución no está madura.

LIMITACIÓN Y FUERZA DE LA LITERATURA

Bastan unas cuantas notas para que Debussy cree una atmósfera sutil e inefable que un escritor no podrá lograr jamás, cualquiera sea el número de páginas que escriba. Todo escritor conoce esa desazón, esa tristeza que lo invade cuando siente las limitaciones de su arte. Y quizá haya sido la causa por la que en épocas en que un determinado arte alcanza prestigio sumo los escritores hayan querido acercarse a la música o a la pintura; como ahora proliferan los que imitan al cine.

Estas tentativas serían grotescas si no fuesen mortales. Porque el intento de escribir una novela que se parezca al cine consiste en algo así como si un submarino, subyugado por el prestigio de la aviación, lograse dar saltitos fuera del agua mediante la ayuda de una hélice y un par de alitas. Sus torpes hazañas nos harían sonreír con tierna ironía, considerando que ese submarino, en lugar de descender a las profundidades oceánicas, donde es rey y señor, intenta vanamente copiar a aparatos que se proponen otros fines, que tienen otras posibilidades, pero también otras limitaciones.

Cada arte tiene sus objetivos y sus límites. Y, cosa extraña, esas limitaciones no constituyen una debilidad sino una fuerza, del mismo modo que para empujar un mueble nos apoyamos en algo que resista. Esa radical limitación del teatro, que lo obliga a representar una ficción entre tres paredes, es también la causa de su intensidad. Y tan malo y tan ingenuo es que el teatro trate de imitar al cine, ahora que el cine es prestigioso, como fue para el cine imitar al teatro, cuando era un arte vergonzante y bisoño.

En estos últimos tiempos, escritores seducidos por la técnica cinematográfica, quieren trasladarla al libro. Algunos, porque al escribir ya están pensando en las ventajas (bastardas) de una filmación, en cuyo caso nada tienen que hacer en este pequeño análisis; pero otros, y esto sí que interesa aquí, porque suponen que el cine es el arte de nuestro tiempo y su técnica, por lo tanto, la técnica narrativa que de una manera o de otra debe prevalecer. Con este criterio singular, el hombre tendrá que resignarse a que no se produzcan obras como las de Proust, Virginia Woolf o Faulkner, todas *esencialmente literarias*, irreductibles a cualquier otro medio de expresión que no sea el novelístico, como lo prueban los siempre fallidos intentos de llevarlos al cine.

EL ARTE Y LA CONTEMPLACIÓN MÍSTICA

"La creación artística se asemeja en ciertos aspectos a la contemplación mística, que puede ir también desde la oración confusa hasta las visiones precisas." (H. Delacroix)

LAS PRETENSIONES DE ROBBE-GRILLET*

Si Robbe-Grillet se limitara a escribir sus relatos, nada habría que objetar, y más bien debería señalarse su presencia como una de las más curiosas culminaciones de ciertas tendencias contemporáneas. Lamentablemente, a su literatura acompaña una doctrina totalitaria y hasta terrorista, que pretende convertir a los demás narradores en una fauna aberrante y desamparada. En tales condiciones, tenemos el derecho a decir lo que pensamos de sus ficciones y teorías.

Hay para este escritor dos maneras de construir una narración. En la primera, en esa turbia protohistoria que precedió a su revelación, el escritor pretende descender al alma de sus personajes mediante el análisis psicológico, descomponiendo la conciencia como un químico una sustancia desconocida. En la segunda, consciente de que esa tentativa es falaz, se limita a dar una visión externa de los seres de ficción, registrando objetivamente, a la manera de una cámara filmadora, la superficie de sus rostros, sus voces y sus gestos, sus silencios y distancias, los objetos que utilizan o que los rodean. El narrador, como uno cualquiera de los lectores, no abre juicio sobre lo que pueda pasar en el interior de esos seres opacos, no intenta vanamente averiguar lo que pueda haber más allá de esa descripción de la conducta y la circunstancia.

* Este ensayo salió en 1963, en la revista SUR, cuando la doctrina estaba en su apogeo. Entonces mi refutación pareció suicida; ahora, cuando el objetivismo ha quedado reducido a sus justos y modestos límites, puede parecer superfluo. No lo es por dos razones: porque el culto del Objeto es uno de los fetichismos que deberá superar el hombre occidental para rescatarse de su propia enajenación; y porque quizás estas consideraciones ahora confirmadas por los hechos sirvan para otros fenómenos similares en el futuro, en estos países siempre fascinados por el último grito de la moda francesa. Parece hora de que pensemos y escribamos por nuestra cuenta.

Empecemos por preguntarnos si es obligatorio optar entre una literatura analítica y una literatura conductista.

El análisis psicológico es la última consecuencia de una concepción atomista de la realidad, que la ciencia vino imponiendo desde el Renacimiento. Concepción abstracta, derivada de la física, que cometió por lo menos dos graves errores en lo que al ser humano se refiere: el de imaginar que el hombre era el átomo —el "individuo"— de la sociedad y el de suponer que su conciencia era un compuesto que podía ser analizado como un cuerpo químico.

El conductismo, al considerar al hombre en su comportamiento global, no repite el error del atomismo, pero en cambio renuncia a indagar las estructuras internas de la conciencia, los complejos y vivencias que no necesariamente se aprenden mediante el comportamiento. Observando la conducta de un escritor que redacta una página nunca podremos conocer sus sentimientos e ideas, su manera de sentir el mundo, su concepto de la existencia.

Internarse en el alma de un ser humano o de un personaje de novela no implica hacerlo forzosamente mediante el método del análisis, y no comprendo por qué debemos ceder ante la amenaza del señor Robbe-Grillet. Si soy un científico que estudia los monos, es natural que lo haga con la única fuente de información de que dispongo: sus movimientos al buscar una banana, la forma en que la toma y la pela, la eventual disputa con su congénere, etc. Si soy un psicólogo que se propone indagar a los hombres, sería bastante zonzo si me ciñera a esa metodología inevitable para monos o ratones, ya que dispongo de otras inapreciables posibilidades: preguntarle a mi sujeto sobre lo que siente y piensa, escuchar sus sueños, hacerlo hablar bajo la acción de las drogas o la hipnosis. Pero si soy novelista, entonces el famoso conductismo no es ya una tonta renuncia sino una mera falacia, puesto que los personajes salen del propio corazón del creador, y aunque no los "conozca" del todo, por lo mismo que nadie se conoce enteramente a sí mismo, los vive desde dentro y no desde fuera; y aunque escapen a su voluntad, como las fantasías oníricas, le pertenecen también como esas fantasías, y es muy mal escritor, o muy candoroso o muy mistificador si cree o simula creer en la prescindencia y en la objetividad.

O sea que no hay por qué pasar de los átomos a los monos. El hombre no es un átomo, y ya lo sabíamos. Pero tampoco es un mono. Y no veo la ventaja de escribir novelas como si lo fueran.

El auténtico dilema no es por lo tanto ése, sino el de una equívoca concepción analítica frente a una concepción que podría llamarse fenomenológico-estructural. Ya los románticos alemanes rechazaron el atomismo en el ámbito del ser humano, proponiendo a las comunidades de hombres y a los complejos psíquicos como estructuras irreductibles a sus partes. Ya no es posible seguir sosteniendo la absoluta separación entre el sujeto y el objeto. Y el novelista debe dar la descripción *total* de esa interacción entre la conciencia y el mundo que es peculiar de la existencia. ¿Cómo hablar entonces de objetivismo? En un árbol de Van Gogh está de alguna manera, inevitablemente, su autobiografía. Pero el escritor llega mucho más lejos, pues se vale de instrumentos que el pintor no tiene a su alcance para describir las simas de su conciencia, riqueza portentosa que el llamado objetivismo no sólo renuncia a describir, sino que prohíbe definitivamente intentarlo.

De acuerdo con la doctrina de la prescindencia, no se comprende por qué Robbe-Grillet escribe novelas como *La*

Jalousie. Una novela en que el creador —y ya la palabra "creador" habría que reemplazarla por otra— no interviniese con su particular punto de vista y sus propias opiniones debería ser una vasta, qué digo, una *total* descripción del universo, de todo lo que se puede ver, tocar, oler, gustar y palpar, para no salirse del sensorialismo básico de la doctrina. Cualquier elección de un tema sobre otro, de un personaje determinado, de un drama en particular, sería una intolerable intervención del autor, mucho menos tolerable que las modestísimas intervenciones que Robbe-Grillet denuncia en los escritores que no practican su teoría.

En tales condiciones, no debería escribir más que una sola obra, una suerte de ilimitado mazacote que incluyese todos los caballos, sabios, escarabajos, árboles, viajantes de comercio, aleros, tranvías, hachas de piedra, profesores de la Universidad de Berlín, verjas, televisores, actrices en decadencia, uñas, camperas, prisioneros de la cárcel de Caseros, etc., etc. Pero no así como así: debería describir equitativa, impasible y sobre todo pacientemente, cómo son las ramas de esos árboles, qué color tienen esos tranvías, qué formas geométricas asumen los diferentes objetos (si regulares o irregulares, si semejantes a sinusoides o más bien garabateadas, si planas o alabeadas, si parecidas a un hiperboloide de revolución o más bien a un rinoceronte), qué olor desprenden los seres y cosas de esa pesadilla multánime (nauseabundo o interesante, poderoso o más bien imperceptible, repelente o delicado, del género de perfume francés o tirando a lo pantanesco), qué dimensiones y tonalidades ofrecen esos dedos, aquellos motociclistas, aquel caballero que por casualidad aparece en lontananza al lado del chef de cocina que, caramba, se le ha ocurrido mostrarse en ese momento. Pero tampoco sería eso bastante. Debería decirnos si ese chef, ese caballero, aquella normalista, mueven los brazos, en cuántos grados y con qué azimut, con cuánta velocidad en centímetros por segundo el antebrazo izquierdo mientras el derecho se mantiene a 47° de inclinación con respecto a la vertical de la torre de televisión que se divisa a la mano derecha del tubo de dentífrico. No olvidando, por favor, la marca de ese interesante producto higienizante, el perfume que exhala, la cantidad y forma de sus abolladuras. Tampoco deberá ahorrarnos los movimientos de ese brazo mientras describe sucesivamente (maldita precariedad del discurso temporal) los movimientos de otros brazos y piernas, de los autobuses y camiones que aciertan a pasar, así como el desplazamiento de caballos y mulas, perros y gatos, ciclistas y cebras (si estamos en el zoológico o en el África, y tarde o temprano habremos de estar, dada la condición infinita de este producto literario), nenes de corta edad, nodrizas que los acompañan, conscriptos que acompañan a las nodrizas, moscas y mosquitos, cucarachas y grillos que se hallan en las inmediaciones. Mediante reglas milimetradas, compases, goniómetros y taquímetros, se ofrecerá un cuadro completo de sus respectivas distancias y dimensiones. Y eso, claro, a cada segundo. ¿Pero por qué a cada segundo? ¿Qué clase de preferencia está revelando esa particular elección de una unidad de tiempo? ¿Qué odiosa intervención de sus prejuicios científicos se está interponiendo entre el lector y el Universo? No, señor: a cada décimo de segundo, a cada centésimo, a cada cienmillonésimo de segundo. Atareado con un radiotransmisor o una estación de servicio (realidades riquísimas, a simple vista, y que no creo puedan despacharse en menos de cien mil páginas cuerpo ocho), no le perdonaremos que olvide o pase por alto los apasionantes hechos que mientras tanto ocurren allí o en cualquier otra parte del mundo. Porque, ¿quién lo autoriza a describirnos este rincón y no el sugestivo paisaje de Villa María, Córdoba, o los igualmente legítimos y acaso apasionantes suburbios de Venecia, Wisconsin? ¿Y por qué este crimen y no aquel contrabando? ¿Esta limpieza de carburador y no aquella clase de inglés básico? ¿Este loquito y no aquel sobrio profesor de taquigrafía?

Se me dirá que esto es una caricatura y una exageración. Pero yo no tengo la culpa si el señor Robbe-Grillet nos propone una doctrina que, de ser llevada rigurosamente hasta sus últimas instancias, es la causante de esa caricatura.

Naturalmente, a pesar de lo que diga en sus manifiestos, en la práctica tiene que sosegarse. Y aprovechando la increíble capacidad de los seres humanos para absorber sofismas y paralogismos, no lleva a cabo su grandioso programa panestésico, y se limita a darnos un drama determinado en un lugarcito preciso: pequeña intervención del autor.

Estamos, pues, en una aldea del África y tenemos ante nosotros un buen par de amantes. Hemos prescindido sensatamente, como en el buen tiempo viejo, de las cebras y escarabajos, estaciones de servicio y niños de corta edad, autobuses y reclinatorios mencionados en la ortodoxia de más arriba. Qué se le va a hacer: la obra de arte es un intento de dar una realidad infinita dentro de dimensiones finitas. Esto lo sabíamos. Lo que no sabíamos es que Robbe-Grillet participara de esa anomalía.

Estamos ante un par de amantes o de presuntos amantes, observándolos desde la amarga posición geométrica del cornudo. ¿Qué debemos esperar, ahora? Es sabido que un señor carcomido por los celos no es el ser más apto para guardar una ecuánime actitud descriptiva del Cosmos; no es posible exigir de él que observe y describa con la misma minuciosidad la distancia que en un momento hay entre las manos de los amantes, en la penumbra, que la dimensión del retículo de una plantación de tomates en los alrededores. Por sorprendente que parezca, el autor le concede a su héroe este apacible cinemascope. Claro, con la conciencia culpable de haber intervenido en la elección de una aldea, tres personajes y un drama, necesita probar de alguna manera que mantiene su doctrina de la descripción prescindente, ofreciéndonos con la misma exactitud datos sobre la posición de la mujer respecto al lugar geométrico del sospechoso e informaciones sobre el desarrollo de la agricultura en las regiones de África Central.

Además, podría aceptarse que el protagonista de *La Jalousie* describa desde fuera *a los otros* personajes de la narración, que desde su óptica no pueda deducir o inducir las ideas de su mujer (a pesar de la larga conversación que dicen es el matrimonio), sus intenciones, sus propósitos secretos. Y admitamos que, con mayor razón, tampoco pueda inferir las ideas y propósitos del presunto amante. Pero, ¿qué clase de psicología le impide al protagonista describir sus propias y conocidas presunciones? ¿Quién le impide usar sus ideas, su raciocinio, sus hipótesis? ¿Es acaso un mono, un cobayo? ¿O por lo menos un oligofrénico? ¿Cuándo se ha visto que un individuo, celoso o no, y sobre todo si es celoso, no razone interminablemente, no rumie sus sospechas, no cavile sobre lo que ve o adivina? ¿En nombre de qué objetividad se escamotea todo esto? ¿Qué clase de respeto del autor por el Objeto es éste que empieza tergiversándolo?

Me temo que lejos de ser este escamoteo el cumplimiento de una prohibición filosófica es, simplemente, un truco destinado a aumentar la ambigüedad del relato, agregándole un interés ilegítimo. Es evidente: comenzó por elegir por su propia decisión de creador tres personajes, una plantación alejada de la aldea para que pueda producirse el equívoco viaje de los presuntos amantes, aumenta la ambigüedad del problema silenciando los pensamientos del protagonista. Ni más ni menos que los fabricantes de novelas policiales, en que los trucos no sólo están permitidos sino que constituyen la esencia misma del género. Pero, ¿es con esa clase de recursos inferiores que se pretende instaurar la gran literatura de nuestro tiempo? Las oscuridades que se encuentran en Melville o en Kafka no se deben a los recursos de iluminación, a escamoteos ni aun a nicsofilia: se deben al misterio último de la existencia.

Hay todavía una última inconsecuencia filosófica. Los personajes de estas narraciones sólo ven y sienten. Pero el hombre es algo más que un sujeto sensorial: tiene voluntad, organiza y abstrae sus experiencias, termina siempre elevándose al nivel de las ideas; de ninguna manera es una pasiva cámara cinematográfica o, en el mejor de los casos, un aparato panestésico, sino que va ordenando esos datos de los sentidos en formas, convirtiendo paulatinamente el caos en estructuras. Cuando un novelista que pretende prescindir de todo lo que no sea mera sensación enuncia una modesta frase como "vio un gato", olvida que el sustantivo "gato" es un universal, producto de la abstracción y, por lo tanto, de ilegítimo uso en su tentativa. Para ser consecuente con su empirismo total, debería reemplazarlo por palabras que representaran una serie (infinita) de imágenes "gatosas". Más aún: debería prescindir de esa clase de frases, organizadas de acuerdo a una sintaxis que es ajena a un sujeto puramente sensitivo, a la simple conciencia natural o zoológica. En otras palabras, debería renunciar a la literatura. Motivo por el cual, seguramente, no se sabe de ningún chimpancé que escriba novelas.

El hombre no es ese simple sujeto psíquico, es un animal

eidético que salta del caos de los sentidos al orden de los objetos ideales. Por qué un protagonista incapaz de aprehender la belleza y la justicia (ya que ha sido privado de sus intuiciones emocionales), inconsciente de su solitud o comunidad, de su finitud o mortalidad, de la ausencia o presencia de Dios (ya que tampoco goza de intuiciones metafísicas), puede ser considerado no sólo como la única clase de personaje legítimo de una novela, sino como el portavoz de la gran literatura actual, es un misterio que en la capilla francesa sólo puede explicarse por el bizantinismo, y en estos países periféricos por el simple snobismo hacia todo lo que proviene de París.

Parecería inútil recordar la alternancia constante de lo subjetivo y lo objetivo en el decurso del arte, y sin embargo esta doctrina nos obliga a hacerlo, para mostrar la transitoriedad de tantos movimientos similares. Frente al espíritu científico de la Ilustración se produjo la insurrección romántica. Al degenerar el nuevo estilo en barato sentimentalismo recomenzó la apología de la fría objetividad, de "la materia resistente", de la impersonalidad. No era indispensable ser vidente para vaticinar que del propio seno de ese neoclasicismo emergerían los elementos de un nuevo romanticismo, que de los mármoles se pasaría a la imprecisa música, y de la expresión literal al oscuro símbolo. Y así *ad infinitum*.

Al terminar la Primera Guerra, hartos los artistas serios de la grandilocuencia en que terminó el expresionismo, una vez más se preconizó severidad de forma, impasible objetividad. Iniciándose aquella *Neue Sachlichkeit,* aquella Nueva Objetividad, que sin embargo hubiese sido más apropiado designar "realismo mágico", como prudentemente hizo Franz Roth, habida cuenta de la falacia que implica hablar de objetividad en arte. Como justamente observa Erich von Kahler, en aquellos cuadros de Chirico o de Carrá encontramos una cruel y encarnizada insistencia en los hechos, una exhibición del objeto en su inexorable mismidad, produciéndose una como emoción invertida que emana silenciosa y mágicamente; del mismo modo que en los primeros trabajos de Brecht se expresa una violenta rebelión del hombre mediante una casi pura enunciación. Pero en ninguno de ellos, ni en ese Kafka que duplica el horror de sus pesadillas por la calma con que las describe, ni en el escueto y despojado Hemingway, hay objetividad en el estricto sentido filosófico; sino una forma, inversamente eficaz, de manifestar la particularísima manera de sentir el mundo de cada uno de esos creadores. Hasta el punto de que entre miles de obras artísticas podemos reconocer un cuadro de Chirico o una novela de Kafka.

En resumen, el "objetivismo" es una reiterada tendencia en la dialéctica de las escuelas. Y en su sentido no riguroso, ha sido utilizado por los artistas cada vez que lo juzgaron eficaz, en cada ocasión que lo exigía su necesidad expresiva, no por manía totalitaria.

Así también en lo que al lenguaje se refiere. La furia antimetafórica de Robbe-Grillet, su idea de que el lenguaje figurado es ilegítimo, sólo pueden explicarse por su incoherencia filosófica y su desatada arrogancia. Desde Vico sabemos que la metáfora no es un adorno, ni una hinchazón del lenguaje, ni esa joya que suponían los retóricos latinos, sino el único modo que tiene el hombre de expresar el mundo subjetivo. A la estricta objetividad de la ciencia corresponde un lenguaje unívoco y literal, que culmina en el tranquilo desfile de símbolos de la logística. Pero a los hombres concretos ese idioma no les sirve. Primero, porque la existencia no es lógica, y no puede servirse de símbolos que son inequívocos, creados para responder a los principios de identidad y contradicción, y luego porque el hombre concreto no sólo o ni siquiera se propone comunicar verdades abstractas, sino sentimientos y emociones, intentando actuar sobre el ánimo de los otros, incitándolos a la simpatía o al odio, a la acción o a la contemplación. Para lo cual hace uso de un lenguaje absurdo pero eficaz, contradictorio pero poderoso. Un lenguaje que cambia y reemplaza las palabras y los giros gastados, que por ser gastados son psicológicamente inoperantes, por maneras nuevas y llamativas, por combinaciones que atraen por lo inesperado. La misión de este lenguaje no es comunicar las abstractas e indiscutibles verdades de la lógica o de la matemática, sino las verdades de la existencia, vinculadas a la fe o a la ilusión, a la esperanza o a los terrores, a las angustias o a las convicciones apasionadas. Su drama es inverso del de la ciencia, pues debe expresar hechos únicos con palabras generales, con lugares comunes que no tienen ni sangre ni poder de convicción. De donde la incansable actividad renovadora que la vida ejerce sobre el lenguaje, a través de la imaginación y la metáfora. Esfuerzo que culmina en aquellos poetas que, como Joyce, intentan crear un lenguaje al estado naciente, por medio de la alternación de significaciones, la ruptura de sintaxis, la simple onomatopeya. Como a pesar de todo el lenguaje es un intrumento de comunicación, la arbitrariedad queda limitada por la necesidad de no volar los puentes, y así el lenguaje se desenvuelve en una dialéctica permanente entre lo comunal (que tiende al desgaste) y lo descomunal (que tiende a la pura arbitrariedad). Y a la disolución que siempre amenaza en esos movimientos vitalizadores se sucede siempre una nueva disciplina. Se comprende que también en esto llegue un momento en que algunos escritores preconicen el paradigma del lenguaje científico. Recomendación que hay que tomar con las debidas precauciones, con la debida relatividad y con pleno conocimiento de su sentido irriguroso y simplemente sanitario.

A lo largo de la historia pueden observarse dos tipos de vicisitudes en el arte: las que resultan o forman parte de la dinámica interna, tales como la lucha entre capillas y escuelas, el cansancio de tendencias, el agotamiento de ciertas formas o procedimientos, la reiterada tendencia al parricidio; y las que forman parte de las grandes estructuras históricas, estructuras que involucran una determinada concepción de la existencia, un *ethos,* una metafísica: la del hombre religioso del Medioevo, la del profano burgués del Renacimiento, la del hombre de nuestro tiempo.

En lo que se refiere al primer tipo de vicisitud, la escuela de Robbe-Grillet es un movimiento de tipo neoclásico, con las ventajas y desventajas que esa clase de reacciones tienen siempre frente a los excesos románticos. Pero su absolutismo y perdurabilidad es tan ilusorio como el de cualquier otro movimiento similar en los tiempos precedentes.

En lo que se refiere, en cambio, a los grandes arcos de la historia, es evidente que, a pesar de su reacción contra *un* aspecto de la mentalidad científica, es una manifestación literaria de la mentalidad científica, aunque lo sea de modo escolástico e inconsecuente. Los Tiempos Modernos, en efecto, están tipificados por la ciencia, su gran paradigma es el Objeto, y la preocupación general de los espíritus dominados por esta manera de ver el mundo es el de la objetividad.

El auténtico arte de la rebelión contra esta cultura moribunda, por lo tanto, no puede ser ninguna clase de objetivismo, sino un arte integralista que permita describir la totalidad sujeto-objeto, la profunda e inextricable relación que existe entre el yo y el mundo, entre la conciencia y el universo de las cosas y los hombres. Desde esta perspectiva, la novela preconizada por Robbe-Grillet no representa el porvenir, como ingenuamente supone su inventor, sino la reducción al absurdo de una mentalidad en liquidación, aunque luche por liberarse reaccionando contra una de sus manifestaciones más precarias: el análisis psicológico. Sólo en esa medida y en ese sentido puede considerarse como copartícipe del vasto movimiento que ha de superar el fetichismo científico.

Participación bastante modesta, por cierto.

EL EXTRAÑO CASO DE NATHALIE SARRAUTE

ACASO por los mismos motivos que los hijos suelen insultar a sus padres, Nathalie Sarraute lanza irónicos epigramas sobre los escritores que la engendraron. Así, esta notoria descendiente de Proust afirma que a pesar de sus esfuerzos para cortar un pelo en cuatro no logró lo que fácilmente obtuvo Hemingway; no estando lejos el día en que se visite su obra con un cicerone, como se visitan los monumentos históricos, entre grupos de escolares. Y esta escritora, muchas de cuyas páginas parecen tomadas de Virginia Woolf, se ríe del "envidiable candor" con que después de la primera guerra sostenía el progreso de la novela del siglo XX, mediante la indagación de una materia más sutil, el interés por las zonas oscuras de la psicología y la aplicación de técnicas más delicadas. La verdad, comenta N. S., es que la palabra *psicología* es una de esas que ningún autor de hoy puede oír sobre su obra sin bajar los ojos y enrojecer. Y si un autor osara hablar a personas inteligentes de las "regiones oscuras de la psicología" (¿pero quién se atreve?), recibiría como respuesta:

—Ah ¿es que usted todavía cree en esas cosas?

Valdría la pena intentar el psicoanálisis de estos comentarios, de una narradora que no ha hecho otra cosa que encarnizados y minuciosos exámenes psicológicos, mediante la exasperación del método heredado de Proust y V. Woolf.

Pero todavía no es esto lo más asombroso. Lo más asombroso es que a lo largo de los cuatro ensayos que forman *L'ère du soupçon* ella misma se encarga de refutar sus afirmaciones, dejando así ridículamente desamparados a los epígonos y admiradores que las siguen repitiendo cuando ella misma las ha liquidado.

Veamos un poco en detalle el desenvolvimiento de este singular proceso, porque al mismo tiempo nos servirá para echar un poco de luz sobre algunos aspectos de la novelística contemporánea.

En las primeras páginas del primer ensayo, N. S. nos dice que bajo el triple determinismo del hambre, el sexo y la clase, en ese hombre moderno aplastado por una civilización mecánica había hecho crisis "lo psicológico". Se había superado así el tiempo en que Proust imaginaba que se podía llegar al fondo de la verdad, pues todos sabíamos ahora que no había nada que pudiese calificarse de ese modo; y el psicoanálisis, atravesando de un salto varios de esos presuntos fondos, demostraba la ineficacia de la introspección clásica. Por otra parte, el *homo absurdus* era un mensajero de la liberación, pudiéndose abandonar con la conciencia bien tranquila las estériles tentativas tipo Proust: *lo psicológico no existía.* Qué alivio. Se podían ensayar nuevas formas, partir desde nuevas bases; el cine, arte nuevo y pleno de promesas, ofrecía técnicas vírgenes a esos novelistas repentinamente modestos; la sana simplicidad de la novela norteamericana ofrecía sangre joven a una literatura debilitada por el análisis y el bizantinismo; y el estilo, después de tanto retorcimiento psicológico, podía volver a una austera simplicidad clásica. Para mayor alegría, muy cerca de ellos, los escritores franceses, que experimentaban una especie de complejo de inferioridad, había surgido un hombre como Kafka, cuya pintura del absurdo se unía en forma tan feliz al de los novelistas norteamericanos, al mismo tiempo que mostraba regiones todavía inexploradas. Después de todo esto ¿podía haber aún gentes que creyesen en aquella clase de mitos en que creían los escritores como Proust y V. Woolf?

Adelantémonos a responder que, en efecto, todavía existe esa clase de gentes, empezando por la escritora Nathalie Sarraute. En la página 15 de su librito, apenas lanzados sus decretos, al hablar de Camus como uno de los abanderados de la nueva tendencia, ya se le escapa su secreta admiración por lo que públicamente ridiculiza. Porque si el héroe de *L'Etranger* colmaba la ansiedad que al parecer tenía la generación de N. S. por el héroe absurdo propio ("Nous n'avions désormois plus rien à envier à personne. Nous avions, nous aussi, notre homo absurdus"), este héroe tenía sobre los protagonistas norteamericanos la "incontestable ventaja" de estar descrito no desde fuera sino dentro, por "el procedimiento clásico de la introspección". Pero aún "hay algo más turbador", y es que Camus "no detesta, aunque con prudencia, es cierto, costear también los abismos" (¿cuáles, podemos preguntarle a esta negadora de los famosos abismos?). Agregando por fin la escritora que se reía del candor de su progenitora: "Así, en virtud del análisis, de esas explicaciones psicológicas que Albert Camus se había tomado tanto cuidado de evitar casi hasta el final, las contradicciones y las inverosimilitudes de su obra se explican y la emoción a la que por fin nos abandonamos sin reserva se encuentra justificada".

En cuanto a Kafka (p. 89), no vaya a creerse que sus

héroes tengan algo que ver con los de esos novelistas norteamericanos que "por necesidad de simplificación, por *parti pris* o por preocupación didáctica, han vaciado de todo pensamiento y de toda vida subjetiva lo que nos presentan como la imagen misma de la realidad, al despojarla de todas las convenciones psicológicas". Por el contrario, basta leer, afirma, los "minuciosos y sutiles análisis a que se libran esos personajes, apenas se establece entre ellos el más ligero contacto, con una apasionada lucidez".

Parece innecesario prolongar el examen. Pero creo todavía conveniente resumir lo que afirma de los famosos conductistas de la América del Norte y de sus seguidores europeos:

El más ínfimo de los movimientos externos de un personaje es grosero y violento al lado de esos minúsculos, sutiles, fugaces y equívocos movimientos interiores. Los conductistas no ven ni describen sino aquellos, esos vastos y muy aparentes movimientos, y únicamente ésos, siendo los lectores arrastrados por la acción y por la intriga. No tienen el tiempo ni los medios bastante delicados para captar y describir aquellos otros movimientos sutiles. Y en tales condiciones es comprensible la repugnancia que esa clase de narradores tiene por el análisis, ya que para ellos consistiría en desmontar y machacar el mecanismo de esas groseras motivaciones, ya bastante visibles para que sea menester exhibirlos todavía en detalle. En cuanto al diálogo, debería traslucir de algún modo aquellos actos sutiles y fugaces del interior, las formas tradicionales son demasiado duras y los conductistas tampoco están en condiciones de lograrlo, y nada más tramposo en definitiva que esa impresión de verdad y de vida que pretenden dar. Es falso comparar la situación con la del teatro, pues allí los actores reemplazan con sus propios y expresivos rostros la expresión de aquellas sutilezas interiores, que en las novelas conductistas quedan abandonadas a las solas palabras de un diálogo escueto. Sería instructivo preguntarle al lector, al más sensible y despierto de los lectores, lo que, abandonado a sí mismo, es capaz de percibir debajo de los diálogos de esas novelas; qué es capaz de intuir de aquellas minúsculas acciones que subtienden y empujan el diálogo y le dan así su verdadera significación: nos sorprenderíamos de la vastedad de esas adivinaciones. En el teatro, en cambio, los actores llegan a reproducir esos impulsos interiores, disponiendo para eso de los gestos, las entonaciones y los silencios. Los conductistas empujan peligrosamente la novela hacia el teatro, dominio en el que tiene que hallarse en inferioridad, al renunciar a los recursos propios de la novela; y al hacerlo, renuncian a lo que hace de ella un arte aparte, para no decir simplemente arte.

Podría haber agregado todavía, Nathalie Sarraute, algunas consideraciones sobre la relación entre el cine y la novela "objetivista", que demostrarían fácilmente por qué esos narradores alcanzan sus mejores logros en el cine, que es como si las mejores hazañas de un espeleólogo se llevaran a cabo como navegantes. Dejemos ese tema para otro lugar y ahora veamos cómo N. S. reivindica inteligentemente las virtudes de ese análisis psicológico que en páginas anteriores satiriza.

Queda entonces —nos comunica— el proceso inverso, el de Proust, el recurso del análisis. Tiene la ventaja, en todo caso, de permanecer en el terreno que es propio de la novela y de servirse de los instrumentos que sólo la novela puede disponer. Además, tiende a dar al lector lo que éste tiene derecho a esperar del novelista: un incremento de su experiencia en profundidad, no en extensión, como en cambio hacen el reportaje y el documento. Y, en fin, es un método que nos lleva al porvenir y no al pasado, como en esos otros que proceden en nombre de la renovación. Proust no deja nunca solo al lector, y efectúa con el diálogo lo que un buen actor en la escena: lo acompaña de minuciosas descripciones, descripciones sutiles y precisas, evocadoras en el más alto grado; lo subraya con juegos de fisonomías, con miradas e inflexiones de voz, informando constantemente al lector sobre el secreto significado de cada vocablo. Jamás abandona el diálogo a la libre interpretación, excepto cuando las palabras son inequívocas; pero apenas se produce el menor desajuste entre la conversación y la subconversación, interviene.

¿Cómo no compartir tan juiciosas consideraciones? Ya sabemos que en general las palabras son mentirosas o por lo menos ambiguas, ya sabemos que no bastan los actos externos para saber la verdad puesto que a menudo son tramposos, como en los jugadores de póker. Y que si muchas veces basta la mera descripción de los actos externos, sobre todo cuando se trata de romper dientes a puñetazos o de emitir los precarios ruidos bucales que suelen acompañar la marcha de una novela de Mike Spillane, ni siquiera resultan suficientes en las narraciones policiales de Hammet, donde resulta ambiguo, ambigüedad que el astuto escritor aprovecha para sus específicos fines de suspenso e intriga.

Excelente narradora de las sutilezas de almas complicadas, N. S., heredera de Proust y de V. Woolf, termina, pues, por recomendar lo que curiosa pero imposiblemente negaba. Y aunque no elogia de modo explícito a aquella genial novelista inglesa, por lo menos concluye por hacer justicia a Proust. En cuanto a las reservas que formula, son compartibles: al hacer un constante llamado a la atención del lector y a su memoria, al apelar incesantemente a sus facultades de comprensión y de razonamiento, este método renuncia a eso que los conductistas (aunque con exagerado optimismo) consideran con todas sus esperanzas: la libertad, el misterio, lo inexplicable; renuncia a ese contacto directo y puramente sensible con las cosas que obliga al lector a desplegar sus fuerzas instintivas, los recursos de su inconsciente, sus poderes de adivinación. Si es cierto que los resultados de los conductistas son infinitamente más pobres que lo que creen, no es menos cierto que esas fuerzas ciegas existen y que la obra de ficción debería obligar a desplegarlas. Para ello no es posible abandonar el análisis (lo que sería dar la espalda a todo progreso, dice) sino adaptarlo a las nuevas búsquedas, convirtiéndolo en un método que dé al lector la ilusión de rehacer él mismo la compleja y sutil trama interior, con una conciencia más lúcida, con más orden y nitidez que en la vida, con mayor fuerza, sin que pierdan esa indeterminación, esa opacidad, ese misterio que invariablemente tienen los actos del ser viviente.

Dice Nathalie Sarraute: Y es aproximadamente lo que han tratado de hacer y a menudo han logrado los escritores importantes, desde los rusos hasta nuestros contemporáneos, si no me equivoco.

LA MALDITA INTERVENCIÓN DEL AUTOR

CONSIDEREMOS un árbol. Primero lo pinta Millet y luego lo pinta Van Gogh. Resultan dos árboles distintos, en virtud de esa "maldita intervención del autor" (las comillas pertenecen a los teóricos del objetivismo). Pero es precisamente esa inevitable irrupción del artista en el objeto lo que hace superior el árbol de Van Gogh al árbol de Millet y al de cualquier fotógrafo.

Más, todavía: ese árbol es el retrato del alma de Van Gogh.

UNIVERSALIDAD CIENTÍFICA E INDIVIDUALIDAD ARTÍSTICA

DIJO Poincaré con gran elegancia: La matemática es el arte de razonar correctamente sobre figuras incorrectas. Ya que nadie pretende, ni es necesario, que el triángulo rectángulo dibujado en el pizarrón sea el auténtico triángulo platónico para el que rige el teorema: es apenas una burda alusión, un grosero mapa para guiar el razonamiento.

Totalmente inversa es la situación del arte, en que precisamente lo que importa es ese diagrama personal y único, esa concreta expresión de lo individual. Y si alcanza universalidad es esa universalidad concreta que se logra no rehuyendo lo individual sino exasperándolo. ¿Qué más exasperadamente personal que un cuadro de Van Gogh?

Si la ciencia puede y debe prescindir del yo, el arte no puede hacerlo; y es inútil que se lo proponga como un deber. Palabras más o menos, decía Fichte: En el arte los objetos son creaciones del espíritu, el yo es el sujeto y al mismo tiempo el objeto. Y Baudelaire, en el *Art Romantique*, afirma que el arte puro es crear una sugestiva magia que involucra al artista y al mundo que lo rodea. Agregando: "Prestamos al árbol nuestras pasiones, nuestros deseos o nuestra melancolía; sus gemidos y sus cabeceos son los nuestros y bien pronto somos el árbol. Asimismo, el pájaro que planea en el cielo representa de inmediato nuestro inmortal anhelo de planear por encima de las cosas humanas; ya somos el mismo pájaro."

También lo decía Byron:

Are not mountains, waves and skies a part
of me and my soul, as I of them?

Esas misteriosas grutas que suelen verse detrás de las figuras de Leonardo, esas azulinas y enigmáticas dolomitas detrás de sus ambiguos rostros ¿qué son sino la expresión indirecta del espíritu del propio Leonardo? Como los movimientos y gestos de un actor ajeno a la vida de Shakespeare sin embargo se convierte en Hamlet y por lo tanto en Shakespeare cuando lo animan las ficciones del príncipe de Dinamarca. Y es en este sentido que debe interpretarse el notorio aforismo de Leonardo, cuando dice que la pintura es cosa mental, pues para él mental quería decir no algo meramente intelectual sino algo subjetivo, algo propio del artista y no del paisaje que pinta; el arte era para él "un idealismo de la materia". ¿Cómo pedirle así objetividad al arte?

Sería como pedirle que el cuarteto 135 *no parezca* de Beethoven. Y ya que para el gran arte no se trata de parecer sino de ser, sería tan descabellado como pedir que *no sea* de Beethoven.

No puede explicarse esta doctrina de los objetivistas sino como consecuencia del prestigio e imperialismo de la ciencia, de la creencia dogmática en un universo externo que el artista, como el científico, deba describir con la misma fría imparcialidad. De modo que el escritor de novelas describiría la vida o las vicisitudes de un hombre como un zoólogo las termites: indagando las leyes de esas sociedades, describiendo sus costumbres y viviendas, sus lenguajes y danzas nupciales. Y como bien se ha dicho, la tercera persona en que esas historias eran narradas se asemejaba a la tercera persona en que se describían, en los libros de ciencias naturales, las costumbres y caracteres de los mamíferos o reptiles; y aun cuando deformara o transfigurara esa realidad objetiva, esas deformaciones o alteraciones eran consecuencia de simples diferencias del estilo o de técnica verbal (en general reprobables) y no de realidad. En ningún momento se le cruzaba por la imaginación que la realidad de uno era de ningún modo la realidad de otro, como sin embargo es obvio, ya que la realidad Balzac-mundo no es la misma que la realidad Flaubert-mundo. En tanto que para el novelista actual no sólo ya existe la conciencia de ese hecho decisivo sino de que *para cada personaje* la realidad es distinta: al variar su visión de ella, su punto de vista, lo que él le entrega al mundo externo y lo que de él recibe.

En suma: si por realidad entendemos, como debemos entender, no sólo esa externa realidad de que nos habla la ciencia y la razón sino *también* ese mundo oscuro de nuestro propio espíritu (por lo demás, infinitamente más importante para la literatura que el otro), llegamos a la conclusión de que los escritores más realistas son los que en lugar de atender a la trivial descripción de trajes y costumbres describen los sentimientos, pasiones e ideas, los rincones del mundo inconsciente y subconsciente de sus personajes; actividad que no sólo no implica el abandono de ese mundo externo sino que es la única que permite darle su verdadera dimensión y alcance para el ser humano; ya que para el hombre sólo importa lo que entrañablemente se relaciona con su espíritu: aquel paisaje, aquellos seres, aquellas revoluciones que de una manera u otra ve, siente y sufre desde su alma. Y así resulta que los grandes artistas "subjetivos", que no se propusieron la tonta tarea de describir el mundo externo, fueron los que más intensa y verdaderamente nos dejaron un cuadro y un testimonio de él. En tanto que los mediocres costumbristas, que quizá los acusaban de limitarse a su propio yo, ni siquiera lograron lo que se proponían.

AUTOBIOGRAFÍAS

DADA la naturaleza del hombre, una autobiografía es inevitablemente mentirosa. Y sólo con máscaras, en el carnaval o en la literatura, los hombres se atreven a decir sus (tremendas) verdades últimas. "Persona" significa máscara, y como tal entró en el lenguaje del teatro y de la novela.

ARTES DEL ESPACIO Y ARTES DEL TIEMPO

YA Lessing advirtió que, a diferencia de las artes plásticas, que son esencialmente espaciales, la novela es esencialmente temporal. Hoy sabemos, además, que lo es en el sentido más puro de esa palabra, pues ni siquiera admite ese tiempo espacializado de los astrónomos.

De ahí el absurdo de intentar una literatura según los cánones del cine; puesto que el cine, aun cuando participa de atributos del arte narrativo tiene, en grado decisivo, peculiaridades de las artes plásticas.

En un cuadro vemos de golpe y simultáneamente toda su realidad, la vivencia estética es integral e instantánea, podemos sentir el todo, estructuralmente, antes de sentir sus partes o de reflexionar sobre ellas. En la narración es al revés.

UN PARADÓJICO CRÍTICO

RESULTA singular y digno de un análisis psicoanalítico que Jorge A. Ramos acuse a los mejores escritores argentinos de estar influidos por los europeos, de no mirar a nuestra

América, de inspirarse en la cultura literaria de judíos como Kafka, franceses como Sartre, alemanes como Nietzsche o Hölderlin. ¿Hace su acusación utilizando el instrumental filosófico de los querandíes, o al menos de los aztecas? No, señor: mediante una teoría elaborada por el judío Marx, el francés Saint-Simon, el alemán Hegel. Y escribe todo eso en venerable y longevo español, en lugar de hacerlo en charrúa o idioma pampa.

¿No es hora de que con lucidez y sin sentimientos de inferioridad empecemos a discutir en serio, sin demagogia ni insultos, sobre la naturaleza de la literatura argentina y sobre la herencia europea con que nació y se desenvolvió? Poe, Melville o Faulkner son poderosos creadores, y sin embargo descienden de conocidos escritores europeos, ya que con eminentes dificultades podría demostrarse la paternidad de Pocahontas o Toro Sentado.

SOBRE LA NATURALEZA DE LA LITERATURA ARGENTINA

Los europeos cometen a menudo la ingenuidad de pedirnos color local, y de creer que nuestra pintura o nuestra literatura no tiene "carácter", ese carácter que en cambio encuentran en la pintura mexicana o en la novela del indio ecuatoriano.

Es fácil lo representativo en el Ecuador, pero es infinitamente arduo en la Argentina. Nuestro hombre es de contornos indecisos, complejos, variables, caóticos. Esto es como un campamento en medio de un cataclismo universal. Se necesitarán muchas novelas y muchos escritores para dar un cuadro completo y profundo de esta realidad enmarañada y contradictoria: la oligarquía en decadencia, el gaucho pretérito, el gringo que ascendió, el inmigrante fracasado o pobre, el hijo y el nieto de ese inmigrante, el habitante cosmopolita de Buenos Aires (indiferente y apátrida, el hombre que vive aquí como se vive en un hotel). Y todos los sentimientos cruzados y los mutuos resentimientos.

Y acaso el problema psicológico y espiritualmente más complejo es el descendiente de extranjeros, extraña criatura cuya sangre viene de Génova o de Toledo, pero cuya vida ha transcurrido en las pampas argentinas o en las calles de esta ciudad babilónica. ¿Cuál es la patria de esta criatura? ¿Cuál es mi patria? Crecimos bebiendo la nostalgia europea de nuestros padres, oyendo de la tierra lejana, de sus mitos y cuentos, viendo casi sus montañas y sus mares. Lágrimas de emoción nos han caído cuando por primera vez vimos las piedras de Florencia y el azul del Mediterráneo, sintiendo de pronto que centenares de años y oscuros antepasados latían misteriosamente en el fondo de nuestras almas. Pero también, en momentos de soledad en aquellas ciudades, sentimos que nuestra tierra era ésta, estaba acá en la pampa y en el vasto río, pues la patria no es sino la infancia, algunos rostros, algunos recuerdos de la adolescencia, un árbol o un barrio, una insignificante calle, un viejo tango en un organito, el silbato de una locomotora de manisero en una tarde de invierno, el olor (el recuerdo del olor) de nuestro viejo motor en el molino, un juego de barriletes. ¿Y cómo esta novela puede ser simple o nítida o folklórica o pintoresca?

LOS SOFISMAS DE LA LITERATURA NACIONALISTA

CADA vez que un film describe la vida del gaucho en el siglo pasado o los problemas de los indios en un pueblo del Noroeste, numerosos críticos e instituciones se felicitan de que nuestro arte vuelva a sus sanas y permanentes raíces. Y cada vez que un director describe el drama o un drama de algún estudiante o contrabandista o borracho de la ciudad, reaparecen los que reprochan el cosmopolitismo de nuestros creadores.

El folklore tiene sus méritos propios, pero no puede ser tomado como fundamento necesario de un arte nacional. Ni Bach ni Kafka tienen raíz folklórica. Y, al revés, infinidad de productos surgidos del folklore demuestran que tampoco es suficiente para la creación de un arte grande.

Basándose o no en el folklore, todo gran arte va más allá, penetrando en una región más profunda y universal. Si *Martín Fierro* tiene importancia no es porque trate de gauchos, ya que también las novelas de Gutiérrez lo hacen sin que por eso sobrepasen los límites del folletín pintoresco; tiene importancia porque Hernández no se quedó en el mero gauchismo, porque en las angustias y contradicciones de su protagonista, en sus generosidades y mezquindades, en su soledad y en sus esperanzas, en sus sentimientos frente al infortunio y a la muerte, encarnó atributos universales del hombre.

La clave no ha de ser buscada ni en el folklore ni en el nacionalismo de los temas y vestimentas: hay que buscarla en la profundidad. Si un drama es profundo, *ipso facto* es nacional, porque los sueños de que están tejidos los seres de ficción surgen de ese ámbito oscuro que tiene sus cimientos en la infancia y en la patria; que aunque no se lo proponga, y a veces porque no se lo propone, expresa de una manera o de otra los sentimientos y ansiedades, los dilemas raciales, los conflictos psicológicos que forman el substrato de una nación en un instante de su historia. De ese modo, Shakespeare fue el más grande escritor nacional de Inglaterra escribiendo tragedias que a veces ni siquiera se desarrollan en su patria. A la inversa, si una obra es superficial, no la salva su "nacionalismo", que entonces no pasa de ser más que un simulacro, como sucede con tantos novelones nuestros a base de gauchos apócrifos o de malevos pintorescos.

Es hora de terminar con esa demagogia que nos recomienda un conventillo de San Telmo como realidad nacional y que, en cambio, rechaza el gris departamento de un gris profesor que vive en la calle Charcas. Es una idea muy singular la que estos críticos tienen de la realidad. Más que *realismo* esa posición estética debería ser denominada *suburbanismo*; posición nueva y aniquiladora que anonada la existencia de los seres, edificios, estatuas, profesiones y lenguajes que no pertenecen al estricto territorio del arrabal. Para esos ontólogos de nuestra ficción, un compadrito de Avellaneda es real, mientras el modesto profesor de geografía del barrio Norte es un transparente objeto ideal, apenas digno de figurar en el museo de Meinong. Según ellos, toda la obra de Kafka debería ser denunciada como falsa, porque no describe las costumbres de los mataderos de Praga.

PROPENSIÓN METAFÍSICA DE LA LITERATURA ARGENTINA

DICE Martín Buber que la problemática del hombre se replantea cada vez que parece rescindirse el pacto primero entre el mundo y el ser humano, en tiempos en que el ser humano parece encontrarse como un extranjero solitario y desamparado. Son tiempos en que se ha dislocado una imagen del universo, desapareciendo con ella la sensación de seguridad que los mortales tienen en lo familiar. El hombre se siente entonces a la intemperie, el antiguo hogar destruido. Y se interroga sobre su destino.

Por añadidura, y a diferencia de los otros instantes cruciales de la historia, ésta es la primera vez que el hombre se ha vuelto completamente problemático; ya que, como observa Max Scheler, además de no saber lo que es, *ahora sabe que no sabe.* ¿Cómo en tales circunstancias de catástrofe universal, la literatura puede no estar impregnada de preocupación metafísica? Pues es un error imaginar que la metafísica únicamente se encuentra en los vastos tratados filosóficos, cuando, como advirtió Nietzsche, la hallamos en la calle, en las tribulaciones del modesto hombre de la calle.

Pero si la condición catastrófica rige para Europa, para nuestro país rige con mayor fuerza: como integrantes de la civilización que sufre ese cataclismo, tenemos un primer motivo de angustia; pero como pertenecientes a una de las líneas de fractura espacial de esa civilización, tenemos un segundo motivo, que es específicamente nuestro. Estamos en el fin de una civilización, y en uno de sus confines. Sometidos a una doble quiebra en el tiempo y en el espacio, estamos destinados a una experiencia doblemente dramática. Perplejos y angustiados, somos actores de una oscura tragedia, sin tener detrás el respaldo de una gran cultura indígena (como la azteca o la incaica) y sin poder tampoco reivindicar de modo cabal la tradición de Roma o París.

Y como si todavía eso fuera poco, no habíamos terminado de construir y definir una patria cuando el mundo que nos había dado origen comenzó a derrumbarse. Lo que significa que si ese mundo es un caos, nosotros lo somos a la segunda potencia.

De ahí el desconcierto de nuestras conciencias, la zozobra que preside nuestras creaciones, el escepticismo que muchos profesan sobre nuestro destino nacional. Ansiosamente, nos preguntamos entonces sobre la esencia y el porvenir de nuestra patria. Desde nuestras instituciones hasta nuestro arte, todo está siendo enjuiciado, y enjuiciado en una atmósfera de tormentosa nerviosidad. ¿Qué somos? ¿Adónde vamos? ¿Cuál es nuestra verdad nacional? ¿Somos algo nuevo, se gesta aquí algo realmente original, en este caos de sangres y culturas?

La literatura, esa híbrida expresión del espíritu humano que se encuentra entre el arte y el pensamiento puro, entre la fantasía y la realidad, puede dejar un profundo testimonio de este trance, y quizá sea la única creación que pueda hacerlo.

Alberto Zum Felde ha visto bien esta condición de nuestra realidad y ese sentido problemático que debe tener nuestra literatura. En este desorden, en este perpetuo reemplazo de jerarquías y valores, de culturas y razas ¿qué es lo argentino? ¿cuál es la realidad que han de develar nuestros escritores? Al menos, en lo que al Plata se refiere, su tarea más trascendente consiste en la descripción de esa alma atormentada por el caos, de esa anhelosa búsqueda de un orden y un porqué. En otras palabras: esa violenta tectónica de nuestra realidad nos predispone hacia una literatura problemática y, en última instancia, metafísica.

Y así, contra los que argumentan que este tipo de literatura es un fenómeno europeo que carece de sentido en América, que es propio de pueblos viejos, podemos responder que, por el contrario, esta realidad la exige más perentoriamente que aquélla. Pues si el problema metafísico central del hombre es su transitoriedad, aquí somos más transitorios y efímeros que en París o en Roma, vivimos como en un campamento en medio de un terremoto y ni siquiera sentimos ese simulacro de la eternidad que allá está constituido por una tradición milenaria, y por esa metáfora de la eternidad que son las piedras ennegrecidas de sus templos y sus monumentos milenarios.

Pero debemos cuidarnos de un planteo esquemático, de una suerte de relación causal entre una realidad catastrófica y un arte problemático.

Una escuela, una doctrina, se constituyen de manera compleja y casi siempre polémica, pudiendo expresar su tiempo en forma directa o inversa. Así sucede que en períodos difíciles de la historia, al mismo tiempo que aparece una literatura problemática como expresión directa de la crisis, generalmente hace también su aparición una literatura lúdica, como expresión inversa; tanto por su espíritu de contradicción contra la corriente general, por hastío y cansancio de esa escuela, por desdén (muchas veces justificado) a sus expresiones más triviales, como asimismo por evasión de una realidad demasiado dura para espíritus sensibles o temerosos. En alguna ocasión, esa antítesis puede ser el trasunto de una antítesis social, ya que es más fácil que la literatura exquisita sea expresión de una clase privilegiada y la otra expresión de una clase revolucionaria o por lo menos inquieta: fue, en buena medida, el problema Florida-Boedo en Buenos Aires. Pero casi siempre el problema es más confuso y complicado, pues hay tres elementos en juego: el proceso social, que de una manera o de otra influye en el arte; el proceso artístico, que tiene su dinámica propia (cansancio de escuelas, agotamiento de formas, etc.) y que provoca cambios en la creación artística por su propia e inmanente naturaleza; y, finalmente, lo que podríamos llamar una dialéctica de la contemporaneidad entre esos dos procesos.

Así, un mero enjuiciamiento "marxista" (¡qué poca suerte ha tenido Marx con algunos epígonos!) de nuestra literatura podría llevarnos a afirmar, como lo hacen algunos de esos teóricos, que el enriquecimiento y el dominio de una oligarquía ganadera durante el lapso final del siglo pasado, con el refinamiento consiguiente y su europeísmo formal, tenían que producir una literatura bizantina. Y la aparición de escritores como Larreta parecería confirmar esa tesis.

Pero esa tesis es desmentida por un examen más profundo y completo de la realidad. Porque si fatalmente el proceso que da origen a esa clase de arte fuese el indicado, no se explicaría por qué surgieron desde los mismos rangos de la oligarquía escritores tan problemáticos como Hernández o como Cambaceres. Tampoco se explicaría por qué no surgió una literatura lúdica aún más importante que la nuestra en países como el Ecuador o Guatemala, donde el abismo entre la oligarquía y el pueblo trabajador es infinitamente más hondo.

El proceso es más complejo y enmarañado. En el mismo momento en que aparece Larreta en Buenos Aires surgen los escritores sociales del grupo Boedo, y particularmente un novelista como Roberto Arlt. El desenvolvimiento intrínseco de las escuelas a través de parnasianos y simbolistas, produce el modernismo, que culminará en escritores como Güiraldes y Borges; y la contradicción contemporánea, en parte social, en parte puramente estética, explica las antinomias y la simultaneidad de las dos corrientes, así como las antítesis internas en cada uno de los grupos: sería necio, por ejemplo, considerar *Don Segundo Sombra* como literatura lúdica; pues, aunque manifiesta cierto preciosismo, es fundamentalmente una obra donde el acento está colocado sobre los problemas del hombre. Cualquier tentativa de explicar el fenómeno literario en términos puramente estéticos o puramente sociales está, así, condenada al fracaso. Más, todavía: el triple juego explica la ambigüedad y hasta la participación de algunos escritores de aquel tiempo en los dos grupos.

LOS DOS BORGES

El Círculo de Viena sostuvo que la metafísica es una rama de la literatura fantástica. Y este aforismo que enfureció a los filósofos se convirtió en la plataforma literaria de Borges.

En uno de sus ensayos relata cómo un emperador mogol soñó con un palacio y lo hizo construir conforme a esa visión; siglos después, un poeta inglés, que ignoraba el origen onírico del palacio, sueña con él y escribe un poema. Borges se pregunta: "¿Qué explicación preferiremos? Quienes de antemano rechazan lo sobrenatural (yo trato siempre de pertenecer a ese gremio) juzgarán que la historia de los dos sueños es una coincidencia... Otros argüirán que el poeta supo de algún modo que el emperador había soñado el palacio... Más encantadoras son las hipótesis que trascienden lo racional...". En un par de páginas nos propone esas encantadoras variantes.

Bastaría contrastar estos sueños u otros que abundan en su obra con la simplísima pero siniestra pesadilla que Ana Karénina tiene con un muyik para advertir el abismo que hay entre una literatura que se propone un deleitoso juego y otra que investiga la (tremenda) verdad de la raza humana.

El ánimo lúdico conduce al eclecticismo, tal como se ve en ese mismo fragmento: hay varias interpretaciones, cada una de las cuales implica una filosofía diferente. Por el contrario, en un escritor como Kafka hay siempre una sola y obsesiva metafísica. Y porque en Borges abundan las posibilidades, nos resistimos a creer en su creencia: sus aventuras se distinguen de la única y terrorífica aventura de Kafka como los amoríos de Don Juan de la trágica historia de Tristán. En Borges hay una sola fidelidad y una sola coherencia: la estilística.

El mismo confiesa que rebusca en la filosofía con puro interés estético lo que en ella pueda haber de singular, divertido o asombroso: que el alípedo Aquiles no pueda alcanzar a la tortuga, ¡qué extraño! Que en un tiempo infinito, amontonando letras al azar, un mono pueda escribir la obra de Dante, ¡qué ingenioso! Las paradojas lógicas, el *regressus in infinitum,* el solipsismo, son temas de hermosos cuentos. Y como hará un relato con el empirismo de Berkeley y no querrá perder la oportunidad de elaborar otro con la igualmente asombrosa esfera de Parménides, su eclecticismo es inevitable. Y por otra parte insignificante, ya que él no se propone la verdad. Ese eclecticismo es ayudado por su irriguroso conocimiento, confundiendo, según las necesidades literarias, el determinismo con el finalismo, el infinito con lo indefinido, el subjetivismo con el idealismo, el plano lógico con el plano ontológico. Recorre el mundo del pensamiento como un *amateur* la tienda de un anticuario, y sus habitaciones literarias están amobladas con el mismo exquisito gusto pero también con la misma disparatada mezcla que el hogar de ese dilettante.

Borges lo sabe y hasta lo murmura. Pero esa clase de lector que con pavor sagrado se arrodilla apenas lee una palabra como *aporía,* toma por inquietud profunda lo que en general es un sofisticado pasatiempo. Y en lugar de retener al Borges válido admira al autor de esos ejercicios.

Del temor de Borges por la áspera existencia real surgen dos actitudes simultáneas y complementarias: juega en un mundo inventado y se adhiere a la tesis platónica, tesis intelectual por excelencia. El intelecto (limpio, transparente, ajeno al tumulto) lo fascina. Pero como por otra parte quiere seguir jugando, quiere no participar en el siempre duro proceso de la verdad, toma del intelecto lo que tomaría un sofista: no busca la verdad sino que discute por el sólo placer mental de la discusión y, sobre todo, eso que tanto gusta a un literato como a un sofista: *la discusión con palabras, sobre palabras*. Lo atrae lo que la inteligencia posee de móvil, de bipolar, de ajedrecístico; juguetón, inteligente y curioso, le atraen las sofistiquerías, lo subyuga la hipótesis de que *todos pueden tener razón* o, mejor todavía, que *nadie verdaderamente la tiene*. En Sócrates admira al encantador verbal, al ingenioso dialoguista que podía demostrar una verdad y la contraria a un auditorio a la vez boquiabierto e incondicional. En ese momento, para él la filosofía no puede proponerse la verdad (en otro, más serio, más culpable, dirá lo contrario), y todo es confutable.

Y aun cuando en el caso de la teología el problema es más grave, también allí todo será cosa verbal, todo literatura. Las herejías son variantes de la ortodoxia, tal como más apaciblemente sucede en la filosofía, pero aquí se paga con la cruz o con la hoguera: no con el tormento de Borges, que considera esas historias con ironía, con distancia, con moderado (intelectual) asombro, como arte combinatorio: que el Demonio pueda ser Dios, que Judas pueda ser Cristo. Dice: "Durante los primeros siglos de nuestra era los gnósticos disputaron con los cristianos. Fueron aniquilados, pero nos podemos representar su victoria imposible. De haber triunfado Alejandría y no Roma, las estrambóticas historias que he resumido aquí para solaz dominical del lector, serían coherentes, majestuosas y cotidianas".

En ningún relato como en *Tlön, Uqbar, Orbis Tertius* se

resume mejor ese eclecticismo: allí están todas sus inclinaciones y hasta todas sus equivocaciones, y con cada una de ellas construye un ingenioso universo. Ni él cree en lo que allí dice, ni nosotros creemos, aunque a todos nos encanta lo que tiene de *posibilidad metafísica*. Y así en toda su obra: que el mundo sea un sueño, que sea reversible, que haya eterno retorno, que la inmortalidad se alcance en la memoria de los otros, que la inmortalidad no exista sino en la eternidad: todo es igualmente válido y nada en rigor vale. En un ensayo nos dirá, solemnemente, que "ni la venganza ni el perdón ni las cárceles ni siquiera el olvido pueden modificar el invulnerable pasado", pero en *Pierre Ménard* nos muestra el presente alterando los rasgos de lo que fue. Y si nos preguntamos en cuáles de las dos variantes opuestas cree Borges, tendremos que concluir que cree en ambas. O en ninguna.

Sin embargo, hay una constante que tenazmente se reitera, tal vez por su temor a la dura realidad: la hipótesis de que esta realidad sea un sueño. Y como ésta es la hipótesis que el racionalismo ha defendido desde sus comienzos, el auténtico patrono de Borges es Parménides. Y debajo de esa fantasmagoría, como lo quiere Leibniz, hay siempre una explicación. De este modo, para este poeta la razón gobierna al mundo, y hasta sus sueños y magias han de ser armoniosos e inteligibles, y sus enigmas, como los de las novelas policiales, tienen finalmente una clave.

Para Leibniz no hay casualidades y todo tiene su "*raison d'être*", y si muchas veces no la comprendemos es porque nos parecemos a Dios pero no lo bastante. Y el ideal del conocimiento es el de ir reduciendo la masa caótica de las "*vérités de fait*" al orden divino de las "*vérités de raison*". Los físicos, que logran expresar el complejo mecanismo de un proceso en una fórmula matemática, realizan en la tierra ese ideal leibniziano; el día en que los hombres puedan calcular un odio o deducir un homicidio, ese filósofo por fin dormirá tranquilo. Mientras tanto, cierto género de escritores policiales tratan de calmarlo. Edgar Poe inventó ese relato estrictamente racional en que el detective no corre por los tejados sino que construye cadenas de silogismos; y en que su criminal podría (y tal vez debería) ser designado por un símbolo algebraico. Borges, en colaboración con Bioy Casares, lleva hasta el extremo lógico el invento de su antecesor, haciendo que el detective don Isidro Parodi resuelva los enigmas encerrado entre cuatro paredes: réplica exacta del matemático Le Verrier, que enclaustrado en su cuarto de calculista indica a los astrónomos de un observatorio la presencia de un nuevo planeta. Modesto simulacro del dios leibniziano, don Isidro Parodi realiza una suburbana versión de la *characteristica universalis*. Con el suplementario (e irónico) agregado de que el cuarto en que calcula los crímenes es su celda de la penitenciaría.

En *La muerte y la brújula* se alcanza el paradigma. El autor desenvuelve ya un puro problema de lógica y geometría. El pistolero Red Scharlach odia al detective Lönnrot y jura matarlo; pero este único ingrediente psicológico es *previo* al problema y no interviene sino como primer motor.

Como Borges, el criminal ama la simetría, el rigor, el diagrama y el silogismo; piensa y ejecuta un plan matemático; el detective termina por encontrarse en el *punto prefijado* de un rombo trazado sobre la ciudad, y el pistolero lo mata como quien termina una demostración: *more geometrico*. En este cuento no se cometen asesinatos (¡Leibniz no lo permita!): se demuestra un teorema. La ciudad en que Scharlach comete sus muertes es Buenos Aires, pero parece no serlo: es una ciudad transparente y fantasmal, los nombres de sus habitantes son increíbles, la frialdad de las actitudes es inhumana. Pero si se piensa que es la geometría del sistema lo que al autor interesa, todas ellas son virtudes, no defectos. En la demostración de un teorema es indiferente el nombre de los puntos o segmentos, las letras griegas o latinas que los designan; ya que no se demuestra la verdad para un triángulo en particular, sino para el triángulo en general. Claro que, de todos modos, los crímenes deben cometerse en alguna parte; pero induciría a error dar a esa figura real un sentido demasiado preciso, como si el valor de las conclusiones dependiese de esa clase de corrección. Se necesita una ciudad un poco genérica, con nombres cualesquiera; un Buenos Aires donde todo haya sido suficientemente generalizado como para ser geometría, no mera historia y geografía. El cuento podía (y en rigor debía) haber empezado con las rituales palabras del universo matemático: "Sea una ciudad X cualquiera".

Casi podríamos afirmar que Borges ejemplifica literariamente el ilustre problema de la racionalidad de lo real y su (temible) consecuencia: la inmovilidad. ¿Cómo sería posible comprender el efecto si *realmente encerrase* algún ingrediente novedoso? *Causa sive ratio*, el acontecer desaparece, lo diverso concluye en lo único. Después de siglos, de experimentos, máquinas, filósofos y guerras, siempre esta clase de gente termina en la esfera de Parménides.

En *La muerte y la brújula* tenemos dos posibilidades de interpretación: o es el relato de algo sucedido pero rigurosamente causal (Lönnrot puede prever el crimen, pero no puede impedirlo); o es la descripción de un objeto ideal, como un triángulo o un hipogrifo. Pero *en cualquiera de los dos casos no hay transcurso sino en apariencia*. Como en todo universo determinista, nada es realmente nuevo y "todo está escrito", como diría alguno de esos textos musulmanes que con razón gusta de citar Borges. Al convertirse en pura geometría, el cuento ingresa en el reino de la eternidad. Y cuando lo leemos, ese museo de formas perpetuas asume un *simulacro de tiempo*, prestado por nosotros mismos, los lectores; y en el momento en que la lectura termina, las sombras de la eternidad vuelven a posarse sobre criminales y policías. Literatura acrónica, de la que racionalistas como Borges pueden saltar a conjeturas de este género: ¿No seremos nosotros también un libro que Alguien lee? ¿Y no será nuestra vida el tiempo de la Lectura?

Visto el problema así, es absurdo que nos señalen como un mérito la (indirecta) pintura de Buenos Aires que el autor realiza en ese cuento. El mismo Borges ha declarado que nunca como allí cree haber dado el tono secreto de nuestro monstruo. Lo que, de ser cierto, constituiría una lamentable falla con respecto a lo que él mismo debería haberse propuesto con rigor: ¿quería hacer folklore o demostrar un teorema? Tan impertinente sería esa pretensión descriptiva como la de Pitágoras tratando de darnos el color local de Crotona a través de su teorema de la hipotenusa.

Y sin embargo, sí; remotos murmullos porteños llegan hasta nosotros desde aquella ciudad abstracta. Filosóficamente son repudiables, pero nos revelan que, a pesar de todo, su autor es un poeta y no un geómetra, nos prueban que ni siquiera él puede habitar en esa metrópoli platónica.

El arte —como el sueño— es casi siempre un acto antagónico de la vida diurna. Este mundo cruel que nos rodea lo fascina a Borges, al mismo tiempo que lo atemoriza. Y se aleja hacia su torre de marfil en virtud de la misma potencia que lo fascina. El mundo platónico es su hermoso refugio: es invulnerable, y él se siente desamparado; es limpio, y él detesta la sucia realidad; es ajeno a los sentimientos, y él rehúye la efusión sentimental; es eterno, y a él lo aflige la fugacidad del tiempo. Por temor, por repugnancia, por pudicia y por melancolía, se hace platónico.

Encerrado en su torre, pues, elabora sus juegos. Pero el remoto rumor de la realidad lo alcanza: rumor que se cuela por las ventanas y que sube desde lo más profundo de su propio ser. Al fin de cuentas él no es una figura ideal del museo de Meinong sino un hombre de carne y hueso que vive en este mundo, cualesquiera sean los recursos a que eche mano para desvincularse. Al mundo no sólo lo tiene fuera, en la calle: lo tiene dentro, en su propio corazón. ¿Y cómo aislarse del propio corazón?

Y así, en sus abstractos ensayos y cuentos, ese sordo murmullo se cuela, se oye, se colorean con frases y equívocas palabras que no debieran aparecer: como si en la palabra hipotenusa de Pitágoras apareciese a su lado (calificándola) una palabra tan ajena al orbe matemático como "absurda" o "perniciosa". Palabras, epítetos y adverbios que, efectivamente, aparecen en esos relatos que querrían ser puros pero que no lo logran. Y el hombre que quiso ser desterrado reaparece siquiera sea tenuemente, siquiera sea fugaz y equívocamente, con sus pasiones y sentimientos. Y hasta la ciudad X cualquiera donde Red Scharlach comete sus crímenes empieza a recordarnos a Buenos Aires.

Y el Borges oculto, el Borges que tiene pasiones y mezquindades como todos nosostros, lo vemos o lo adivinamos detrás de sus abstracciones: contradictorio y culpable. Así, este autor que dice que en la filosofía sólo busca sus encantadoras posibilidades literarias, y que en efecto, las aprovecha para sus relatos, en otra parte reconoce que "la historia de la filosofía no es un vano juego de distracciones ni de juegos verbales". El autor que pone el ingenio como el más alto atributo de la literatura y que hace de un argumento ingenioso la base (y hasta la esencia) de muchos de sus cuentos ejemplares, nos dice en otra parte, con razón, que "si lo fueran todo los argumentos, no existiría *El Quijote* o Shaw valdría menos que O'Neill". El autor que admira a Lugones y lo considera nuestro más grande escritor, por su genio fundamentalmente verbal, y que proclama a Quevedo como el más grande de las letras españolas, nos dice en otra parte (y con razón) que la literatura como juego formal es inferior a la literatura de hombres como Cervantes o Dante, que jamás la ejercieron de semejante manera.

Es que el juego posterga pero no aniquila sus angustias, sus nostalgias, sus tristezas más hondas, sus resentimientos más humanos. Es que las encantadoras supercherías teológicas y la magia puramente verbal no lo satisfacen en definitiva. Y sus más entrañables angustias y pasiones reaparecen entonces en algún poema o en algún fragmento de prosa en que *de verdad* se manifiestan esos sentimientos *demasiado humanos* (como en la *Historia de los ecos de un nombre*), así como en la admiración que demuestra hacia artistas que no son de ninguna manera el paradigma de su estética ni de su ética literaria: Whitman, Mark Twain, Goethe, Dante, Cervantes, Léon Bloy y hasta Pascal.

Pero ese regreso es siempre ambiguo, siempre queda a mitad de camino o desdice con una frase o una variante su vuelta a la realidad. O la malogra finalmente su pasión verbal, su ingenio retórico.

Así, el Léon Bloy del que nos hablará no será el bárbaro místico sino el que emite la curiosa hipótesis de que el responsable del imperio ruso puede no ser el zar sino su lustrabotas; del vasto Quijote nos recomendará sus "magias parciales"; del áspero Dante se recreará en su complicada y libresca teología, o en la forma de su infierno; del complejo Joyce se deleitará con el inventor de palabras y recursos técnicos, con el erudito e ingenioso; del tremendo Nietzsche retendrá la (atractiva y literaria) tesis del eterno retorno; del hosco y atormentado Schopenhauer su pasión por las artes y su idea del mundo como resultado de la voluntad y representación.

Debajo de esta ambigüedad creo advertir el secreto culto por lo que a él le falta: la vida y la fuerza. ¿Qué otra explicación encontrar a la admiración que este estricto literato profesa a esos apopléticos creadores? ¿Qué otra explicación al culto de sus antepasados guerreros, por sus valientes de suburbio, por los vikingos y longobardos? Y ya que no puede o no quiere participar de la barbarie real y contemporánea, al menos participa de la literaria barbarie del pasado: lo bastante lejana como para haberse convertido en un conjunto de (hermosas) palabras. Un rito que, como en las religiones superiores, nos hace comulgar con la sangre y la carne de un cuerpo sacrificado mediante sus apagados y bellos símbolos.

En el mito del *Fedro*, Platón cuenta cómo el alma se precipita a tierra cuando ya vislumbraba la eternidad; caída y condenada ya a su prisión corporal, olvida el maravilloso mundo celeste, pero hereda algo de aquella confraternidad con los dioses: la inteligencia. Y este instrumento divino le advierte que el universo contradictorio en que vive es una ilusión, y que detrás de los hombres que nacen y mueren, de los imperios que surgen y se derrumban, existe el verdadero universo: incorruptible, eterno, perfecto.

El vicioso Sócrates, el hombre que profunda (y acaso dramáticamente) sentía la precariedad de su cuerpo envilecido y la turbiedad de sus pasiones, sueña con ese universo impecable e insta a los hombres a escalarlo con esa metáfora de la eternidad que los mortales han inventado: la geometría.

Y Borges, el corporal Borges, el sentimental Borges, acaso dramáticamente sufridor de sus precariedades físicas, un ser que como muchos artistas (como muchos adolescentes) buscó el orden en el tumulto, la calma en la inquietud, la paz en la desdicha, de la mano de Platón intenta también acceder al universo incorruptible. Y entonces construye cuentos en que fantasmas que habitan en rombos o bibliotecas o laberintos no viven ni sufren sino de palabra, pues son ajenos al tiempo, y el sufrimiento es el tiempo y la muerte. Son apenas símbolo de ese marmóreo más allá. De pronto, parecería que para él lo único digno de una gran literatura fuese ese reino del espíritu puro. Cuando en verdad lo digno de una gran literatura es el espíritu impuro: es decir, el hombre, el hombre que vive en este confuso universo heracliteano, no el fantasma que reside en el cielo platónico. Puesto que lo peculiar del ser humano no es el espíritu puro sino esa oscura y desgarrada región intermedia del alma, esa región en que sucede lo más grave de la existencia: el amor y el odio, el mito y la ficción, la esperanza y el sueño, nada de lo cual es estrictamente espíritu sino una vehemente y turbulenta mezcla de ideas y sangre, de voluntad consciente y de ciegos impulsos. Ambigua y angustiada, el alma sufre entre la carne y la razón, dominada por las pasiones del cuerpo mortal y aspirando a la eternidad del espíritu, perpetuamente vacilante entre lo relativo y lo absoluto, entre la corrupción y la inmortalidad, entre lo diabólico y lo divino. El arte y la poesía surgen de esa confusa región y a causa de esa misma confusión: un dios no escribe novelas.

Y por eso aquella suerte de opio platónico no nos sirve. Y termina pareciéndonos que todo es un juego, un simulacro, una infantil evasión. Y que si aun aquel mundo fuera el mundo verdadero, confirmado por la filosofía y la ciencia, este mundo de aquí es para nosotros el solo verdadero, el único que nos da desdicha, pero también plenitud: esta realidad de sangre y de fuego, de amor y de muerte en que cotidianamente vive nuestra carne y el único espíritu que poseemos de verdad: el espíritu encarnado.

Es el momento en que Borges (bella y conmovedoramente) escribe, después de haber refutado el tiempo: "And yet, and yet... Negar la sucesión temporal, negar el yo, negar el universo astronómico, son desesperaciones aparentes y consuelos secretos... El tiempo es la substancia de que estoy hecho. El tiempo es un río que me arrebata, pero yo soy el río; es un tigre que me destroza, pero yo soy el tigre; es un fuego que me consume, pero yo soy el fuego. El mundo, desgraciadamente, es real; yo, desgraciadamente, soy Borges".

En esta confesión final está el Borges que queremos rescatar y que de verdad es rescatable: el poeta que alguna vez cantó cosas humildes y fugaces, pero simplemente humanas: un crepúsculo de Buenos Aires, un patio de infancia, una calle de suburbio. Éste es (me atrevo a profetizar) el Borges que quedará. El Borges que después de su frívolo periplo por filosofías y teologías en las que no cree vuelve a este mundo menos brillante pero que cree; este mundo en que nacemos, sufrimos, amamos y morimos. No esa ciudad X cualquiera en que un simbólico Red Scharlach comete sus crímenes geométricos, sino esta Buenos Aires real y concreta, sucia y turbulenta, aborrecible y querida en que vivimos y sufrimos.

SOBRE ARTE Y DETERMINISMO ECONÓMICO

NADA tiene que ver el marxismo con ese materialismo que reduce la entera actividad del espíritu a las fuerzas económicas, pues en ese esquema el hombre no es libre sino esclavo de esas fuerzas. Todo lo contrario de lo afirmado por Marx. En la *Crítica de la filosofía del derecho de Hegel*, por ejemplo, afirma que no es la historia la que hace sino el hombre, el hombre real y vivo, que persigue sus propios fines. Es cierto que muchos marxistas denunciaron esta vulgar tergiversación positivista; pero esas voces, como la de Antonio Labriola, fueron ahogadas por la escolástica oficial; o, como en el caso de Korsch fueron condenados por la Internacional Comunista, cayendo sobre su pensamiento el silencio funerario que terminaba imperando sobre esos muertos civiles. Tal vez como resultado de la tradición hegeliana que en Italia se mantuvo por obra del idealista Croce, pudo aparecer un espíritu tan admirable como Antonio Gramsci, que durante sus años de cárcel escribió páginas que resplandecen en medio de la bajeza filosófica del stalinismo. Y en sus comentarios sobre Benedetto Croce afirma, con razón, que el abstracto concepto de *homo oeconomicus* es en rigor un típico concepto de la problemática capitalista, pues es precisamente el capitalismo el que engendra ese carácter abstracto y cosificado del hombre. En el terreno de la estética, fue también Gramsci quien llevó la lucha contra la obra de Plejánov, que tanto predicamento alcanzó en todo el mundo revolucionario en mis tiempos de estudiante. Plejánov nunca entendió el sentido de la *praxis*, clave de toda filosofía auténticamente marxista, y por lo tanto jamás pudo superar el dualismo de situación y subjetividad: de un lado distinguía la psicología, las costumbres, los sentimientos e ideas; del otro, las condiciones económicas que "explicaban" aquellos sentimientos e ideas. También el arte, claro.

EL COMPROMISO

No hay otra manera de alcanzar la eternidad que ahondando en el instante, ni otra forma de llegar a la universalidad que a través de la propia circunstancia: el hoy y aquí. La tarea del escritor sería la de entrever los valores eternos que están implicados en el drama social y político de su tiempo y lugar.

OTRO CRÍTICO PERENTORIO

HACE poco, uno de los escritores que en la Argentina practican esa crónica periodística de la realidad que ellos consideran como "denuncia" y "compromiso", afirmó que hay dos maneras de hacer novelas: como Larreta o como Payró, lo malo y lo bueno. Él, modestamente, confesó estar en la buena senda de Payró, mientras que a mí me coloca en la maldita y preciosa herencia de Larreta. Creo inútil advertir, después de haber escrito dos novelas bastante conocidas, que no pertenezco a ninguna de esas dos tendencias; y además pienso que esa oposición es grotesca. El famoso *tertio excluso*, como lo sabe cualquier muchacho que haya entendido el ABC de la filosofía, sólo es válido para los entes de razón, no para la realidad y mucho menos para la literatura. Si dejamos de lado casos discutibles como el mío, el dictamen de este señor condenaría a la inexistencia a escritores como Faulkner, Kafka, Joyce y Proust, que notoriamente no escriben ni como Larreta ni como Payró. Y que, dicho sea de paso, son un poco más considerables que el inventor del poderoso dilema.

NOVELA Y FENOMENOLOGÍA

LAS doctrinas no aparecen al azar: por un lado prolongan y ahondan el diálogo que mantienen a través de las edades; por otro son la expresión de la época en que se enuncian. Así como una filosofía estoica nace siempre en el despotismo, así como el marxismo expresa el espíritu de una sociedad que violentamente nace a la industrialización, el existencialismo tradujo las angustias del hombre que vive el derrumbe de una civilización tecnolátrica.

Lo que no quiere decir que lo traduzca unívoca y literalmente, pues una doctrina se elabora de manera compleja y siempre polémica. Mientras que el racionalismo fue el tema dominante a partir del Renacimiento, el irracionalismo irrumpió una y otra vez, con creciente poderío, hasta alcanzar la hegemonía. Y aunque el existencialismo actual no es (como muchos suponen) un simple irracionalismo, es cierto que se formó en la lucha que los hombres del siglo pasado iniciaron contra la razón.

El *Zeitgeist* que filosóficamente se manifestó en el existencialismo, literariamente lo hizo en ese tipo de creación que en lo esencial se inicia con Dostoievsky, correlato fiel de aquella tendencia filosófica en el terreno de las letras, hasta el punto de que muchos afirman, con ligereza, que "la literatura se ha vuelto existencialista", cuando en verdad surgió espontáneamente un siglo antes que se pusiera de moda, y siendo que no es tanto que la literatura se haya acercado a la filosofía como ésta se ha acercado a la literatura: la novela fue siempre antropocéntrica, en tanto que los filósofos volvieron al hombre concreto precisamente con el existencialismo.

Pero la verdad más profunda es que ambas actividades del espíritu concurrieron simultáneamente al mismo punto y por los mismos motivos. Con la diferencia de que mientras para los novelistas ese tránsito fue fácil, pues les bastó acentuar el carácter problemático de su eterno protagonista, para los filósofos fue muy arduo, ya que debieron bajar de sus abstractas especulaciones hasta los dilemas del ser concreto. Sea como sea, en el mismo momento en que la literatura comenzó a hacerse metafísica con Dostoievsky, la metafísica comenzó a hacerse literaria con Kierkegaard.

Ahora bien: si la vuelta al yo y el levantamiento contra la razón es la piedra de toque y el comienzo de la nueva modalidad, no es cierto, como muchos críticos superficiales suponen, que el proceso termine ahí. Frente a los extremos de la razón, el vitalismo reivindicó, sanamente, la vida y sus instintos. Pero la explosión de los más primitivos y violentos de los instintos de la Primera Guerra Mundial tenía que provocar, al llegar a sus extremos, un ansia de espiritualización que se agudizó al cabo de la Segunda Guerra y sus campos de concentración. Esta es una de las causas que, sin que por eso dejara de defender al hombre concreto, alejó al existencialismo del simple vitalismo. El hombre no era, al fin de cuentas, ni simple razón pura ni mero instinto: ambos atributos debían integrarse en los supremos valores espirituales que distinguen a un hombre de un animal. A partir de Husserl, ya no se centrará la filosofía en el individuo, que es enteramente subjetivo, sino en la persona, que es síntesis de individuo y comunidad.

La filosofía y la novelística actual representan esa síntesis de opuestos: algo así como la síntesis de la poesía lírica con la filosofía racionalista.

A partir del descubrimiento de Husserl, la filosofía dejó de tomar como modelo a las ciencias exactas y naturales, esas ciencias que proceden sobre conceptos obtenidos por abstracción de hechos particulares. De este modo la filosofía se acercó a la literatura, pues la novela no había abandonado nunca (ni en las peores épocas del cientificismo) la realidad concreta tal como es, en su rica, variable y contradictoria condición. El poeta que contempla un árbol y que describe el estremecimiento que la brisa produce en sus hojas, no hace un análisis físico del fenómeno, no recurre a los principios de la dinámica, no razona mediante las leyes matemáticas de la programación luminosa: se atiene al fenómeno puro, a esa impresión candorosa y vivida, al puro y hermoso brillo y temblor de las hojas mecidas por el viento.

Así ¿qué sino fenomenología pura es la descripción literaria? Y esa filosofía del hombre concreto que ha producido nuestro siglo, en que el cuerpo no puede separarse del alma, ni la conciencia del mundo externo, ni mi propio yo de los otros yos que conviven conmigo ¿no ha sido acaso la filosofía tácita, aunque imperfecta y perniciosamente falseada por la mentalidad científica, del poeta y el novelista?

LA LITERATURA DE SITUACIONES LÍMITES

EL hombre de hoy vive a alta presión, ante el peligro de la aniquilación y de la muerte, de la tortura y de la soledad. Es un hombre de situaciones extremas, ha llegado o está frente a los límites últimos de su existencia. La literatura que lo describe e indaga no puede ser, pues, sino una literatura de situaciones excepcionales.

LAS OBRAS SUCESIVAS

"L'OEUVRE doit être considérée seulement comme un amour malheureux qui en présage fatalement d'autres." (Proust)

LA MISTERIOSA CREACIÓN

"POR inferior que sea la obra al sueño ¿quién no la contempla estupefacto y pasivo? ¿Quién no encuentra en ella cosas ignotas?" (Pavese)

LA PALABRA EXACTA

"QUELLE que soit la chose qu'ont veut dire, il n'y a qu'un mot pour l'exprimer, qu'un verbe pour l'animer et qu'un adjectif pour la qualifier. Il faut donc chercher jusqu'à ce qu'on les ait découverts, ce mot, ce verbe et cet adjectif, et ne jamais se contenter de l'à peu près, ne jamais avoir recours à des supercheries, même heureuses, à des clowneries de langage pour éviter la difficulté." (Maupassant)

AUSTERIDAD DE LENGUAJE

El derrumbe de los mitos burgueses enfrentó al escritor con una realidad dramática que le exigió una voluntad de verdad y purificación más que de simpre belleza. De pronto, los dioses no eran más los luminosos dioses del Olimpo que habían alumbrado al artista occidental desde el Renacimiento y que tantas veces nuestros literatos del modernismo americano invocaron en sus poemas: eran los dioses enigmáticos que presiden el fin de una civilización. Y el acento, que en aquella literatura a menudo se colocaba sobre lo estético, ahora se ponía sobre lo ético y lo metafísico.

Este desplazamiento hace fracasar todos los intentos de juzgar la literatura actual desde el punto de vista puramente formal. La repugnancia que se siente hoy por la grandilocuencia o el preciosismo es, en efecto, más ético que estético, obedece más a una cuestión de contenido que de forma; es parte de la vocación de autenticidad que anima al escritor contemporáneo, de su rechazo de todo lo que suene a falso y oropel, a mera "literatura". Nunca como en nuestro tiempo esta palabra ha despertado tanta desconfianza en los propios escritores.

Así sucede que el estilo que pudiéramos llamar del siglo xx está más cerca de San Agustín que de D'Annunzio. La fuerza de esta literatura se acentúa por esa misma severidad del lenguaje; el horror de la tragedia o la belleza de un sentimiento alcanzan su máxima intensidad por la austera precisión con que se expresan: piénsese en Kafka, en Hemingway, en Camus.

Por otra parte, la literatura de hoy no se propone la belleza como fin (que *además* la logre, es otra cosa). Más bien es un intento de ahondar en el sentido general de la existencia, una dolorosa tentativa de llegar hasta el fondo del misterio. Este deseo de autenticidad, que en hombres como Artaud llegó hasta la misma locura, demuele el sentimentalismo convencional que plagaba buena parte de la vieja literatura. Y cada palabra está respaldada por el escritor-hombre, nada está dicho en vano, por simple juego o por pura destreza lingüística. Y cuando lo está, como muchas veces en Joyce, constituye un defecto, no una virtud como imaginan candorosos admiradores.

Dice San Agustín en sus *Confesiones*: "... porque entonces me pareció que no merecía compararse la Escritura con la dignidad y excelencia de los escritos de Cicerón. Porque mi hinchazón y mi vanidad rehusaban acomodarse a la sencillez de aquel estilo..."

ESTATURA DE LOS PERSONAJES

Si es cierto que los personajes novelísticos salen del propio corazón del creador, nadie puede crear un personaje más grande que él mismo, y si lo toma de la historia lo bajará hasta su propio nivel. El teatro y la narrativa están atiborrados de Cleopatras y Napoleones que no son más altos que sus culpables.

Al revés, modestos seres son levantados hasta la estatura de sus grandes creadores. Es probable que Laura y Beatrice hayan sido mujeres triviales; pero ya nunca lo sabremos, pues las que conocemos fueron levantadas hasta la cumbre de Petrarca y de Dante. El poeta hace con sus mujeres lo que en escala humilde hace todo enamorado con su amada.

DE LA COSA A LA ANGUSTIA

LANZADO ciegamente a la conquista del mundo externo, preocupado por el solo manejo de las cosas, el hombre terminó por cosificarse él mismo, cayendo al mundo bruto en que rige el ciego determinismo. Empujado por los objetos, títere de la misma circunstancia que había contribuido a crear, el hombre dejó de ser libre, y se volvió tan anónimo e impersonal como sus instrumentos. Ya no vive en el tiempo originario del ser sino en el tiempo de sus propios relojes. Es la caída del ser en el mundo, es la exteriorización y la banalización de su existencia. Ha ganado el mundo pero se ha perdido a sí mismo.

Hasta que la angustia lo despierta, aunque lo despierte a un universo de pesadilla. Tambaleante y ansioso busca nuevamente el camino de sí mismo, en medio de las tinieblas. Algo le susurra que a pesar de todo es libre o puede serlo, que de cualquier modo él no es equiparable a un engranaje. Y hasta el hecho de descubrirse mortal, la angustiosa convicción de comprender su finitud también de algún modo es reconfortante, porque al fin de cuentas le prueba que es algo distinto a aquel engranaje indiferente y neutro: le demuestra que es un ser humano. Nada más pero nada menos que un hombre.

REALISMO SOCIALISTA

EN el primer número de *Literatura Soviética*, el crítico V. Kemenov enjuicia el arte contemporáneo de la siguiente manera: "El arte burgués actual está al servicio de la burguesía imperialista, en forma oculta o descubierta, directa o subrepticia, refinada o vulgar, según sea la situación de los países capitalistas y las posibilidades y medios de las manifestaciones artísticas. En el presente artículo se examinan las cuestiones de la actual plástica burguesa, de sus tendencias imperantes que, bajo la máscara del apoliticismo, expresan la ideología reaccionaria de la burguesía monopolista e intentan justificar por todos los medios el régimen de explotación y opresión de los trabajadores. En el arte burgués de hoy están reflejadas con especial vigor las concepciones reaccionarias más características: el *antirrealismo*, que niega la significación de la realidad objetiva, su existencia, sus leyes y la posibilidad de su conocimiento; el *antihumanismo*, que aborda el tema 'hombre' en forma destinada a matar todo lo que existe de humano en él; el *irracionalismo*, negación de la fuerza del pensamiento, de la conciencia, de la claridad lógica de las ideas, que sustituye por el triunfo del misticismo, de la subconsciencia, de la paranoia. Pasarán los años y las generaciones venideras que, al estudiar la historia de la cultura burguesa de la época del imperialismo, tengan que trabar conocimiento con la obra de Picasso y Sartre, Jacques Lipschitz, Paul Nash, Henry Moore, Joan Miró, Maurice Grabes y otros por el estilo, invitarán a un psiquiatra y no a un crítico de arte para que sistematice su producción. Pero hoy, para vergüenza de la humanidad, son aceptadas por mucha gente de Europa y América como manifestaciones de cultura completamente normales estas 'obras' degeneradas de la pintura y de la escultura. El arte soviético se desarrolla por el camino del realismo socialista, genialmente definido por J. Stalin. Y ha sido este camino el que ha permitido a los artistas soviéticos crear un arte avanzado, íntegro, socialista por su contenido y nacional por su forma, en la grandiosa época stalinista. El arte soviético, que es el más avanzado del mundo, atrae las miradas y los corazones de las masas populares y de las personalidades progresistas de la cultura extranjera."

Un revolucionario podría argumentar que no importa la decadencia (transitoria) de las letras y las artes si es en beneficio de una radical transformación de la sociedad, que a la larga beneficiará a esas mismas actividades superiores. Muchas veces, artistas nobles se han sentido avergonzados de consagrarse a su obra cuando pensaban que en ese mismo instante morían millones de niños en el desamparo, millones de hombres y mujeres en las pestes e inundaciones de la India y la China, miles de obreros y estudiantes supliciados en las cárceles políticas de las tres cuartas partes del mundo. Esta tesis, que en alguna medida podría ser defendida con honor, no es sin embargo la de esos teóricos de la burocracia stalinista. En una resolución de la Unión de Escritores Soviéticos (setiembre de 1946), culminación de una tremenda purga en las letras, correlativa de la desatada contra el teatro y la filosofía, se denunció precisamente esa posición como "teoría dañina y estúpida". No era cierto que la literatura soviética pasara por una mala época: por el contrario, era "la más progresista del mundo", según dictamina el Comité Central del Partido pocos días antes de la rápida y tenebrosa declaración de la Unión de Escritores. Estas palabras eran del propio y siniestro Coronel General Zhdanov, y formaban parte de esta página: "Esta resolución expresa la grave preocupación que las principales revistas literias de Leningrado, la ciudad heroína, famosa por sus tradiciones revolucionarias y progresistas, cuna perpetua de ideas avanzadas y de cultura superior, hayan perdido completamente el contacto con la vida de la población soviética y olvidado el positivo papel educador que desempeña la literatura en el estado soviético. La fuerza de la literatura soviética, la literatura más progresista del mundo, estriba en el hecho de que no tiene, que no puede tener, intereses de ninguna índole excepto el interés del pueblo, especialmente de la juventud, contestar a sus preguntas, inspirar valor a la gente, fe en la causa y determinación para superar todos los obstáculos. En lugar de ello, el contenido de esas publicaciones manifestó un espíritu de desilusión y pesimismo, que en modo alguno es característico del pueblo soviético, sino que por el contrario revela la influencia de las producciones más decadentes de la cultura burguesa de Occidente." Siguen acusaciones personales e indicaciones de medidas. Inmediatamente se reunió la Unión de Escritores de Leningrado y a los pocos días tomó una resolución de la que transcribo un fragmento significativo: "Después de conocer el informe de Zhdanov acerca de la Resolución del Comité Central, los escritores de Leningrado dieron una extensa resolución afirmando que consideran absolutamente correcta la decisión del Partido, respaldándola como programa para todos los escritores de Leningrado... Esta reunión exige que cada escritor dedique todo su poder creador a la producción de obras de la más elevada intención y valor literario, que reflejen la grandeza de nuestra victoria, la inspiración que impulsa a la obra restauradora y constructora del Socialismo, las hazañas heroicas del pueblo soviético... En nuestras obras debe reflejarse digna y vívidamente la imagen del hombre soviético, formado por el Partido Bolchevique, templado en el fuego de la

Guerra Patriótica, que consagra todas sus energías y su talento a la noble causa de la construcción Socialista".

Pocos días más tarde, en setiembre 4, la Unión llama la atención de los escritores Gladkov, Raytonov, Ivanov, Valetsky y Sergey; del escritor cinematográfico Nelin; de numerosos dramaturgos. Critica los poemas de Pasternak, "apartados de la vida del pueblo y a los que les falta la menor comprensión de la perspectiva social". Critica al poeta Mezherov por su "enfermiza admiración por el sufrimiento y la miseria". Y, en fin, al poeta Antokolsky por sus "tendencias pesimistas".

La resolución termina revelando a los principales dirigentes de la Unión y asegurando a Stalin que la organización cumplirá al pie de la letra las decisiones del Partido. La discusión que precedió a estos comunicados da pena y vergüenza por los propios protagonistas que allí se humillan y se autoacusan revelando el temor de casi todos, el servilismo de otros y el fanatismo de algunos que acaso fueran sinceros.

LA NOVELA DE LA CRISIS

HACE unos treinta años, T. S. Eliot afirmó que el género había terminado con Flaubert y Henry James. En una forma o en otra, diferentes ensayistas reiteraron ese juicio funerario.

Ocurre que con frecuencia se confunde transformación con decadencia, porque se enjuicia lo nuevo con los criterios que sirvieron para lo viejo. Así, cuando algunos sostienen que "el siglo XIX es el gran siglo de la novela", habría que agregar "de la novela novecentista"; con lo que su aforismo se haría rigurosamente exacto, pero también completamente tautológico.

Es bastante singular que se pretenda valorar la ficción del siglo XX con los cánones del siglo XIX, un siglo en que el tipo de realidad que el novelista describía era tan diferente a la nuestra como un tratado de frenología a un ensayo de Jung (y por motivos muy análogos). Y si siempre constituyó una tarea más bien destinada al fracaso la clasificación de la obra literaria en géneros estrictos, en lo que a la novela se refiere ese intento es radicalmente inútil, pues es un género cuya única característica es la de haber tenido todas las características y haber sufrido todas las violaciones.

La novela del siglo XX no sólo da cuenta de una realidad más compleja y verdadera que la del siglo pasado, sino que ha adquirido una dimensión metafísica que no tenía. La soledad, el absurdo y la muerte, la esperanza y la desesperación, son temas perennes de toda la gran literatura. Pero es evidente que se ha necesitado esta crisis general de la civilización para que adquieran su terrible vigencia, del mismo modo que cuando un barco se hunde los pasajeros dejan sus juegos y frivolidades para enfrentar los grandes problemas finales de la existencia, que sin embargo estaban latentes en su vida normal.

La novela de hoy, por ser la novela del hombre en crisis, es la novela de esos grandes temas pascalianos. Y en consecuencia, no sólo se ha lanzado a la exploración de territorios que aquellos novelistas ni sospechaban, sino que ha adquirido dignidad filosófica y cognoscitiva.

Cómo puede suponerse en decadencia un género con semejantes descubrimientos, con dominios tan vastos y misteriosos por recorrer, con el consiguiente enriquecimiento técnico, con su trascendencia filosófica y con lo que representa para el angustiado hombre de hoy, que ve en la novela no sólo su drama sino que busca su orientación. Por el contrario, pienso que es la actividad más compleja del espíritu de hoy, la más integral y la más promisoria en este intento de indagar y expresar el drama que nos ha tocado vivir.

LA FAMOSA "TRANCHE DE VIE"

BAJO la influencia del espíritu científico, muchos escritores se propusieron transferir al papel trozos de realidad, procediendo con la misma objetividad que un geógrafo describe la meseta del Pamir.

Además de candoroso, este intento era falaz. Pues si es posible describir una parte de una realidad muerta o estática, pretender la transcripción de un trozo de una realidad viva e infinitamente trabada es mortal. Un mal escritor o un principiante puede incurrir en la tentación de incluir una auténtica carta de amor en una novela, con el resultado de que resulta falsa, al ser desprendida de la complicada magia que en la vida real formaba su soporte y su contorno. La realidad en que viven los seres humanos, y aun la sola realidad externa que tanto preocupaba a aquellos narradores, es infinita, tiene raíces que se extienden en todas las direcciones, sufre el reflejo de todas las luces y los efectos de las más remotas causas: todo corte es automáticamente falsificador. De modo que esos presuntos realistas eran irrealistas de la especie más curiosa. La paradoja de la creación novelística consiste en que el escritor debe dar en una obra que es forzosamente finita una realidad que es fatalmente infinita. Para lograrlo no puede recurrir al corte sino a la recreación; y debe proceder con aquella carta de amor de modo parecido a las falsas perspectivas que usan los escenógrafos: que son falsas precisamente para dar la sensación de la verdad.

EL REALISMO SOCIALISTA, FORMA DEL IDEALISMO

HERBERT READ dice, con razón, que el problema que plantea el realismo socialista es un falso problema, ya que no hay más que dos formas del arte: el bueno y el malo. El arte bueno es siempre una síntesis dialéctica de lo real y de lo irreal, de la razón y de la imaginación. Al ignorar esta contradicción, al querer forzarla en favor de una sola de las antinomias, el realismo socialista deja de ser dialéctico y vuelve a una especie de idealismo. Trata de imponer un objetivo intelectual y doctrinario al arte. Por otra parte, el propósito de llegar a las masas y de realizar propaganda tiene un resultado previsible: apenas se logra el arte del affiche, y de affiche en el peor sentido del naturalismo.

EL ARTISTA Y EL MUNDO EXTERNO

UNO dice "silla" o "ventana" o "reloj", palabras que designan meros objetos de ese frígido e indiferente mundo que nos rodea, y sin embargo de pronto transmitimos con esas palabras algo misterioso e indefinible, algo que es como una clave, como un patético mensaje de una profunda región de nuestro ser. Decimos "silla" pero no queremos decir "silla", y nos entienden. O por lo menos nos entienden aquellos a quienes está secretamente destinado el mensaje críptico, pasando indemne a través de las multitudes indiferentes u hostiles. Así que ese par de zuecos, esa vela, esa silla, no quieren decir ni esos zuecos, ni esa vela macilenta ni aquella silla de paja, sino yo, Van Gogh, Vincent (sobre todo Vincent): mi ansiedad, mi angustia, mi soledad; de modo que son más bien mi autorretrato, la descripción de mis ansiedades más profundas y dolorosas. Sirviéndose de aquellos objetos externos e indiferentes, esos objetos de ese mundo rígido y frío que está fuera de nosotros, que acaso estaba antes de nosotros y que muy probablemente seguirá permaneciendo cuando hayamos muerto, como si esos objetos no fueran más que transitorios y temblorosos puentes (como las palabras para el poeta) para salvar el abismo que se abre entre uno y el universo; como si fueran símbolos de aquello profundo y recóndito que reflejan; indiferentes y objetivos y grises para los que no son capaces de entender la clave, pero cálidos y tensos y llenos de intención secreta para los que la conocen. Porque en realidad esos objetos pintados no son los universos de aquel universo indiferente sino objetos creados por ese ser solitario y desesperado, ansioso de comunicarse, que hace con los objetos lo mismo que el alma realiza con el cuerpo: impregnándolo de sus anhelos y sentimientos, manifestándose a través de las arrugas, del brillo de sus ojos, de las sonrisas y comisuras de los labios; como un espíritu que trata de manifestarse (desesperadamente) con el cuerpo ajeno, y a veces groseramente ajeno, de una histérica médium.

EL GRAN TESTIGO

LA inmensa mayoría escribe porque buscan fama y dinero, por distracción, porque meramente tienen facilidad, porque no resisten la vanidad de ver su nombre en letras de molde.

Quedan entonces los pocos que cuentan: aquellos que sienten la necesidad oscura pero obsesiva de testimoniar su drama, su desdicha, su soledad. Son los *testigos*, es decir los *mártires* de una época. Son hombres que no escriben con facilidad sino con desgarramiento. Son individuos a contramano, terroristas o fuera de la ley.

Esos hombres sueñan un poco el sueño colectivo. Pero a diferencia de las pesadillas nocturnas, sus obras vuelven de esas tenebrosas regiones en que se sumieron y siniestramente se alimentaron, son la ex-presión o presión hacia el mundo de esas visiones infernales; momento por el cual se convierte en una tentativa de liberación del propio creador y de todos aquellos que, como hipnotizados, siguen sus impulsos y sus órdenes secretas. Motivo por el cual la obra de arte tiene no sólo un valor testimonial sino un poder catártico, y precisamente por expresar las ansiedades más entrañables de él y de los hombres que lo rodean.

Nada más equivocado, pues, que pedirle a la literatura el testimonio de lo social o lo político. Escribir en grande, simplemente *es*, sin más atributos. Pues si es profundo, el artista inevitablemente está ofreciendo el testimonio de él, del mundo en que vive y de la condición humana del hombre de su tiempo y circunstancia. Y dado que el hombre es un animal político, económico, social y metafísico, en la medida en que su documento sea profundo también (directa o indirectamente, tácita o explícitamente) un documento de las condiciones de la existencia concreta de su tiempo y lugar.

DECIR LA VERDAD Y TODA LA VERDAD

"LA chose la plus difficile, quand on a commencé d'écrire, c'est d'être sincère. Il faudra remuer cette idée et définir ce qu'est la sincérité artistique. Je trouve ceci, provisoirement: que jamais le mot ne précède l'idée. Ou bien: que le mot soit toujours nécessité par elle; il faut qu'il soit irrésistible, insupprimable, et de même pour la phrase, pour l'oeuvre tout entière. Et pour la vie entière de l'artiste, il faut que sa vocation soit irrésistible; qu'il ne puisse pas ne pas écrire." (Gide)

EL OTRO OFICIO DEL ESCRITOR

SI nos llega dinero por nuestra obra, está bien. Pero escribir *para* ganar dinero es una abominación. Esa abominación se paga con el abominable producto que así se engendra.

MÁS SOBRE LITERATURA Y FENOMENOLOGÍA

EN una sociedad dominada por el espíritu religioso, como era la Europa medieval, todo es influido, de una manera o de otra, por la religión. En el siglo XIX, todo lo que el hombre hacía o pensaba sufrió el influjo del espíritu científico; y hasta un analfabeto que no podía entender las ecuaciones de Maxwell, de algún modo vivía "científicamente".

La propagación de maneras o formas prestigiosas hasta regiones que nada tienen que ver con el ámbito en que legítima y necesariamente esas maneras o formas nacieron es un fenómeno inevitable. Piénsese, por ejemplo, en las líneas aerodinámicas, que surgieron del progreso técnico en barcos y aviones, por la necesidad de aumentar la velocidad con el mínimo de resistencia; pero de esos móviles las líneas aerodinámicas se propagaron a objetos perfectamente estáticos como teléfonos y sillones.

Algo semejante aconteció con la literatura: su objetivo fue siempre el hombre y sus pasiones (no hay novelas de mesas ni de animales, pues cuando se hace la novela de un perro es para hablar indirectamente de la condición humana). Pero, extraña idea, quiso ser hecha mediante las normas de la ciencia, que precisamente ordenan prescindir de lo humano. Sócrates recomendaba desconfiar del cuerpo y sus pasiones, pero en todo caso él se proponía la búsqueda de la Verdad con mayúscula, esa Verdad abstracta que culminaría en la catedral hegeliana; pero habría sido descabellado que le hiciera la misma recomendación a Eurípides. No obstante, esto es un poco lo que sucedió con el novelista del siglo pasado, rindiendo así tributo al señor feudal que todo lo dominaba. Pretendiendo ser tan objetivo como un hombre de ciencia, el escritor se colocaba o trataba de colocarse (porque felizmente todo ese imponente aparato no pasaba de ser un poco apariencial) fuera de sus personajes, describiéndolos a ellos y a la circunstancia en que actuaban como un observador omnisciente colocado en una eminencia panóptica. Y así, en una novela de Balzac, se describe un paisaje casi como podrían hacerlo un geógrafo y un geólogo: "Aquel monasterio fue construido en la extremidad de la isla y sobre el punto más alto de la roca que, por efecto de una gran revolución del planeta, está cortada a pique sobre el mar y presenta las duras aristas de sus planos ligeramente roídas al nivel del agua, pero de cualquier modo infranqueables. Por lo demás, la roca está protegida de todo ataque por escollos peligrosos que se prolongan a lo lejos y sobre los cuales juegan las olas del Mediterráneo".

Contrastemos esta manera de ver la realidad con la de Virginia Woolf, observada desde el puro sujeto: "Había una mancha oscura en el centro de la bahía. Era un barco. Sí, lo comprendió al cabo de un segundo. Pero ¿a quién pertenecería?... La mañana estaba tan hermosa que, excepto cuando se levantaba en algún sitio un soplo de aire, el mar y el cielo parecían estar hechos de una misma trama, como si las velas estuvieran clavadas en lo alto del cielo o las nubes se hubiesen caído en el agua".

El procedimiento llega a su última instancia en la manera fenomenológica de Sartre: "Está en mangas de camisa, con tiradores malva. Se ha arremangado hasta más arriba del codo. Los tiradores apenas se ven sobre la camisa azul; están borrados, hundidos en el azul, pero es una falsa humildad; en realidad no permiten el olvido, me irritan por su terquedad de carneros, como si dirigiéndose al violeta se hubieran detenido en mitad del camino sin abandonar sus pretensiones. Dan ganas de decirles: vamos, vuélvanse violetas y terminemos de una vez. Pero no, permanecen en suspenso, obstinados en su esfuerzo inconcluso. A veces, el azul que los rodea se desliza sobre ellos y los cubre totalmente; me estoy un instante sin verlos. Pero es una ola, pronto el azul palidece por partes y veo reaparecer islotes de un malva vacilante que se agrandan, se juntan y reconstruyen los tiradores. El primo Adolphe no tiene ojos; sus párpados hinchados y recogidos se abren apenas un poco sobre el blanco, etc.".

Es obvio que este extremo subjetivismo, lejos de ser falso, es en el arte lo único verdadero; ya que todo lo otro es conjetura y problema. La ciencia aspira a la objetividad, pues la verdad que busca es la del objeto. Para la novela, en cambio, la realidad es a la vez objetiva y subjetiva, está fuera y dentro del sujeto, y de ese modo es una realidad más integral que la científica. Aun en las ficciones más subjetivas, el escritor no puede prescindir del mundo; y hasta en la más pretendidamente objetiva el sujeto se manifiesta a cada instante.

LA "OBJETIVIDAD" DE KAFKA

VALDRÍA la pena examinar ese fenómeno, en que una especie de fría objetividad expresiva, que por momentos recuerda al informe científico, es sin embargo la revelación de un subjetivismo tan extremo como el de los sueños. Otro contraste eficaz: describe su mundo irracional y tenebroso con un lenguaje coherente y nítido.

ATRIBUTOS DE LA NOVELA

PARA teóricos totalitarios como Robbe-Grillet, sólo es novela lo que esté construido de acuerdo con los cánones de sus propias narraciones. Si esto fuera correcto, quedarían por ahí, como una fauna solitaria y desamparada, como un conjunto de monstruos que nadie quiere ni en sus corrales ni en sus zoológicos, como apátridas del arte y del espíritu, inmensas cantidades de obras que *no serían nada*. Ya que el *Quijote* no sería una novela, pero tampoco es una catedral o un toro.

Siempre constituyó una gran tentación establecerse en una (relativa) posición personal y decretarla un absoluto. Pero a esta altura de la bizantina discusión habría que hacer como Husserl en una parecida y estéril situación filosófica, poniendo entre paréntesis los interminables dilemas, practicando una sana *epojé* y limitándose a una simple descripción del fenómeno novela: tal como es, tal como la historia lo muestra y no tal como cada uno de nosotros lo imagina culminando en nuestra propia obra, por vanidad o por miopía, o por las dos cosas juntas. De este examen de sus atributos concluimos que la novela:

1. Es una historia (parcialmente) ficticia. Puesto que en *La guerra y la paz* también hay historia verdadera.

2. Es un tipo de creación espiritual en que, a diferencia de la científica o filosófica, las ideas no aparecen al estado puro, sino mezcladas a los sentimientos y pasiones de los personajes.

3. Es un tipo de creación en que, también a diferencia de la ciencia y la filosofía, no se intenta probar nada: la novela no demuestra, muestra.

4. Es una historia (parcialmente) inventada en que aparecen seres humanos, seres que se llaman "personajes"; aunque según la época, el gusto y la mentalidad de su tiempo, esos personajes o caracteres van desde corpóreos y sólidos seres que se parecen mucho a los que vemos en la calle hasta transparentes individuos a veces designados por misteriosas iniciales, que sólo parecen ser portadores de ciertas ideas o estados psicológicos (Kafka).

5. Es, en fin, una descripción, una indagación, un examen del drama del hombre, de su condición, de su existencia. Pues no hay novelas de objetos o animales, sino, invariablemente, novelas de hombres.

Fuera de estos caracteres no creo que se pueda agregar nada importante, sino retorcidas y arrogantes definiciones a la manera de Robbe-Grillet. Según las cuales no podríamos considerar como verdaderas o buenas novelas ni las de Tolstoi, ni las de Cervantes, ni las de Dostoievsky, ni las de Thomas Hardy, ni las de Melville, ni las de Proust, ni las de Joyce, ni las de Faulkner, ni las de Malraux, ni las de Kafka. En cuyo caso, aunque resulte un poco duro para este autoritario escritor francés, debemos decirle que preferimos quedarnos con esas novelas culpables y no con las impolutas que él construye.

LA NATURALEZA ES UNA TRISTE COSA

COMO dice Whitehead, la naturaleza es una triste cosa, sin colores ni sonidos ni fragancias: todos esos atributos son puramente humanos. Radical e inevitablemente (pero ¿por qué evitarlo?) nuestra visión del mundo es subjetiva, y cada uno de nosotros está creando colores y músicas, groseros o delicados, complejos o simples, según nuestra sensibilidad, nuestra imaginación y nuestro talento.

ESCRITORES EN SERIO

"NO te gusta Mérimée precisamente por aquellas dotes que hacen de él un 'artista exquisito'. Sentís que es un hombre que ignora toda seriedad de ambiente, que se resiste a comprometerse, que recorta cuadros multicolores en una falsa sociedad prestada. Cambia de ambiente como de traje. No sabe vivir el drama del *hombre en su ambiente*, e incluso cuando es trágico lo es de oídas, por suposición, pero le faltan las raíces hundidas en la tierra *(Carmen)*. Todo lo contrario de Stendhal, que *vive* la sociedad de su época con la pasión de un fanático y de un santo demonio." (Pavese)

PRESCINDENCIA DEL AUTOR

STEPHEN DEDALUS, en el *Retrato*, nos dice que "la personalidad del artista, a primera vista grito y cadencia, y después narración fluida y ondulante, desaparece de puro refinamiento, se impersonaliza, por decirlo así... El artista, como el Dios de la creación, queda dentro, o más allá, o por encima de su obra, invisible, sutilizando fuera de la vida, indiferente, arreglándose las uñas".

La novela debía ser una *épica moderna*, y como toda épica exigiría la desaparición total del narrador.

¡Qué ilusión! Por lo que sabemos de la vida de Joyce, tanto el *Retrato* como el *Ulises* no son sino la proyección sentimental, ideológica y filosófica del propio Joyce, de sus propias pasiones, de su drama o tragicomedia personal.

TRIPLE EFECTO DE LA CRISIS SOBRE LA LITERATURA

En medio del desastre y del combate, inmersos en una realidad que cruje y se derrumba a lo largo de formidables grietas, los artistas se dividen en aquellos que valientemente se enfrentan con el caos, haciendo una literatura que describe la condición del hombre en el derrumbe; y los que, por temor o asco, se retiran hacia sus torres de marfil o se evaden hacia mundos fantásticos. Pero por efecto de ambas actitudes se produce una proliferación de modalidades técnicas: en un caso, provocadas por la necesidad urgente de explorar y describir los abismos que se abren en la catástrofe, abismos que no pueden recorrerse ni expresarse con los viejos instrumentos; y en el caso opuesto, por esa tendencia que tiene toda literatura preciosista a las búsquedas puramente formales.

No hay que creer, sin embargo, que esos tres movimientos permanezcan ajenos entre sí. Por el contrario, aparecen entrañablemente vinculados, y no es asombroso que de pronto una técnica inventada por esos orfebres de gabinete haya servido a la otra raza de artistas para descender a sus abismos.

PUREZA, ETERNIDAD Y RAZÓN

SOMOS imperfectos, nuestro cuerpo es débil, la carne es mortal y corrompible. Pero por eso mismo aspiramos a algo que no tenga esa desgraciada precariedad: a algún género de belleza que sea perfecta, a un conocimiento que valga para siempre y para todos, a principios éticos que sean absolutos. Al levantarse sobre las dos patas traseras, este extraño animal abandona para siempre la felicidad zoológica e inaugura la infelicidad metafísica que resulta de su dualidad: descabellada hambre de eternidad en un cuerpo miserable y mortal.

Entonces comienzan las preguntas: ¿Existe algo eterno más allá de este mundo transitorio y en perpetuo cambio? Y si existe ¿cómo podemos alcanzarlo, mediante qué intermediario, merced a qué fórmula mágica? Ya los griegos se plantearon en occidente este problema y encontraron la solución en las matemáticas. Claro: hasta las poderosas pirámides faraónicas, levantadas con la sangre y las lágrimas de miles de esclavos, son apenas pálidos simulacros de la eternidad, derruidas finalmente por los huracanes y las arenas del desierto; pero la ingrávida pirámide matemática que es su modelo permanece inmune a los poderes destructivos del tiempo. Y si ese paisaje que tenemos ante nuestros ojos se presenta con colores cambiantes, según la hora y el lugar desde donde lo contemplamos; si todo lo que entra por nuestros sentidos es mudable y sujeto a discusión, está teñido por nuestros estados de ánimo y deformado por nuestras pasiones, es relativo y radicalmente subjetivo; este teorema que demostramos, en cambio, vale para todos, aquí en Grecia o allá en Persia, se haga su demostración en nuestra lengua o en cualquier otra lengua real o inventada, estemos poseídos por el furor o seamos indiferentes a esa verdad o cualquier verdad.

Los griegos, desde Pitágoras, observaron este extraordinario hecho, asombroso apenas se reflexione un poco, y naturalmente concluyeron que la matemática señalaba la ruta secreta que, a través de la selva oscura de nuestras sensaciones, mediante la sola guía de la razón, con la única ayuda del pensamiento puro, nos conducía al universo eterno de la verdadera realidad, desde este mundo confuso que suscitaba el escepticismo de Heráclito. Así surgió en el pueblo helénico el prestigio del pensamiento como instrumento del conocimiento, y ese divino prestigio perduraría en Occidente a través de casi dos mil quinientos años de guerras, invasiones, derrumbes y devastaciones.

Hasta que filósofos que parecen hacer literatura y escritores que parecen hacer filosofía lo negaron.

LA COMUNICACIÓN MEDIANTE EL ARTE

DICE Berdiaeff que el yo se esfuerza en romper la soledad mediante varios intentos: el conocimiento, el sexo, el amor, la amistad, la vida social, el arte. Y agrega que aunque es cierto que la soledad se atenúa, ninguno de esos medios es capaz de vencerla definitivamente; porque todos conducen a la objetivación, y el yo no puede alcanzar al otro yo, sino en un acto de comunión interior. Sólo encuentra, al término de cada uno de esos caminos el implacable objeto, la sociedad objetivada.

En lo que se refiere al arte no me parece acertado: el Tú (contemplador) alcanza al Yo (artista) *a través* del objeto artístico, no *en* el objeto artístico. Como lector de *Rojo y negro* yo ingreso en la intimidad misma de Stendhal, y él ingresa en la mía como creador. Tal vez podría decirse algo semejante del amor, considerando un amor como un objeto artístico. En ese caso, la "cristalización" stendhaliana sería la formación de ese objeto.

LA NOVELA-ROMPECABEZAS

La necesidad de dar una visión totalizadora de Dublín obliga a Joyce a presentar fragmentos que no mantienen entre sí una coherencia cronológica ni narrativa, fragmentos de un complicado y ambiguo rompecabezas; pero de un rompecabezas que nunca aparecerá completamente aclarado, pues muchas de sus partes faltarán, otras permanecerán en las tinieblas o serán apenas entrevistas. Esto no es un arbitrario juego destinado a asombrar a los lectores, es lo que sucede en la vida misma: vemos a una persona un momento, luego a otra, contemplamos un puente, nos cuentan algo sobre un conocido o desconocido, oímos los restos dislocados de un diálogo; y a estos hechos actuales en nuestra conciencia se mezclan los recuerdos de otros hechos pasados, sueños y pensamientos deformes, proyectos del porvenir. La novela que ofrece la mostración o presentación de esta confusa realidad es *realista* en el mejor sentido de la palabra.

EL ARTISTA ES EL MUNDO

Por la época en que escribía *Madame Bovary*, escribe Flaubert en su Correspondencia: "Es algo delicioso cuando se escribe no ser uno mismo, sino circular por toda la creación a la que se alude. Hoy, por ejemplo, hombre y mujer juntos, amante y querida a la vez, me he paseado a caballo por un bosque, en un mediodía de otoño bajo las hojas amarillentas; yo era los caballos, las hojas, el viento, las palabras que se decían y el sol rojo que hacía entrecerrar sus párpados, ahogados de amor".

ASPECTOS DEL IRRACIONALISMO EN LA NOVELA

CRÍTICOS que prolongan la mentalidad racionalista del siglo pasado murmuran contra las ininteligibles novelas de nuestro tiempo. Pero aparte de que la obra de arte no tiene por qué ser inteligible (¿qué "quiere decir" una sinfonía de Mozart?), en el caso de la novela es impertinente pedir el orden intelectivo que es propio de la lógica y la ciencia, ya que los seres humanos nada tienen que hacer con el principio de identidad o con el principio de contradicción. El irracionalismo es, pues, un atributo específico de la novela y un indispensable indicio de realidad.

Pero hay que distinguir variantes. En Kafka los juicios tienen rigor sintáctico, hay coherencia entre sujeto y predicado; pero esa coherencia no va más allá de la frase, pues no hay continuidad de razonamiento sino la continuidad o "lógica" propia de los sueños: el determinismo inteligible ha sido reemplazado por otro misterioso o sobrenatural. En Joyce el irracionalismo llega hasta el propio juicio, pues por momentos desaparece el acuerdo entre el sujeto y el predicado: al lenguaje lógico sucede el lenguaje asintáctico. Faulkner, que en *El ruido y el furor* escribe bajo la directa influencia de Joyce, se sirve de esa técnica para intentar un realismo absoluto (lejos de practicar el irrealismo que suponen los entusiastas del naturalismo fotográfico), ya que sólo mediante esa técnica puede describir aproximadamente la visión que tiene un idiota del mundo, de un ser para el cual el universo es un conglomerado de olores, visiones fugitivas y sabores: un universo caótico y contingente.

NOVELISTAS Y REVOLUCIONES

El escritor de ficciones profundas es en el fondo un antisocial, un rebelde, y por eso a menudo es compañero de ruta de los movimientos revolucionarios. Pero cuando las revoluciones triunfan, no es extraño que vuelva a ser un rebelde.

ARTE Y SOCIEDAD

Es fatal que de alguna manera el arte esté relacionado con la sociedad, ya que el arte es hecho por el hombre, y el hombre (aunque sea un genio) no está aislado: vive, piensa y siente en relación con su circunstancia.

Pero ese "de alguna manera" implica un tipo de vinculación infinitamente más complejo y sutil que el famoso "reflejo". Según esta doctrina, que pretende ser realista pero que en rigor es fantástica, el arte es un reflejo de la sociedad en que aparece. Y en los casos más caricaturescos, llega a afirmar que refleja la situación económica y clasista. Estos doctrinarios, que suelen titularse marxistas, no han pensando, al parecer, que si esa teoría fuese correcta no tendría explicación ni el propio marxismo: producido por el intelectual burgués Karl Marx, viviendo tanto él como su colaborador el industrial Engels en una típica sociedad burguesa, herederos, conscientes y orgullosos, de una gran cultura también burguesa ¿cómo podrían haber inventado o descubierto la teoría de la revolución proletaria?

No parece que una caricatura semejante pudiera ser tomada en serio. Y sin embargo tiene vigencia, realiza análisis, emite recomendaciones, formula acusaciones todos los días. Ya el propio Lenin le decía a Gorki, a propósito de Tolstoi, que "nunca se había descrito tan profundamente al muyic hasta que llegó este conde". Lección que sin embargo no parece haber servido ni para el propio Gorki, pues inventó el famoso realismo socialista.

Hay, qué duda cabe, alguna relación entre el artista y su circunstancia, y es claro que Proust no podría haberse formado en una tribu de esquimales. A veces ese vínculo es neto, como el que existe entre la aparición de la clase burguesa y la irrupción de la proporción y la perspectiva en la pintura. Pero las más de las veces ese vínculo es mucho más complejo y, sobre todo, contradictorio, ya que el artista es en general un ser disconforme y antagónico, y porque en buena medida es precisamente su desafecto a la realidad que le ha tocado vivir lo que lo lleva a crear otra realidad en su arte; que discrepa tanto de aquélla como el sueño de la vida diurna, y por motivos semejantes. El hombre no es un objeto pasivo, y por lo tanto no puede limitarse a reflejar el mundo: es un ser dialéctico y (como sus sueños lo prueban), lejos de reflejarlo, lo resiste y lo contradice. Y este atributo general del hombre se da con más histérica agudeza en el artista, individuo por lo general anárquico y antisocial, soñador e inadaptado.

¿Cómo explicar, si no, tantas contradicciones? En el seno mismo de los salones del siglo XVIII, hombres que pertenecen a esa misma sociedad refinada y decadente, escritores admirados y celebrados, engendran libros que preparan la destrucción de esa misma sociedad. Y ni siquiera coherentemente, ni siquiera en un solo haz definido, sino en movimientos tan contradictorios entre sí como el naturalismo de Rousseau y el racionalismo científico de los enciclopedistas.

Se produce luego la Revolución y el arte que oficialmente ha de representarla es la pintura reaccionaria y neoclásica de David, un arte que ridículamente terminará con sus famosos cascos de bomberos. Arte superficial, como todo arte conformista y oficial. Mientras los grandes y verdaderos artistas harán, como siempre, una creación refractaria y herética. La literatura, sobre todo la literatura, es algo así como la inversa de la sociedad: en las épocas teocráticas es a menudo anticlerical, como lo demuestran los *fabliaux* de la Edad Media; y, al revés, nunca se produce una literatura tan profundamente religiosa como en las épocas laicistas. Piénsese en la calidad de la literatura católica en la Francia de la Tercera República o en la Inglaterra protestante de hoy.

Ya Matthew Arnold señalaba que en épocas de convencionalismo y de seco racionalismo termina por vencer la necesidad de pasión, de efusión y relieve; y recíprocamente. Y Erich Kahler muestra cómo cada vez que en la historia de la humanidad un principio es llevado hasta sus últimas consecuencias se vuelve contra sí mismo.

Por otra parte, la sociedad funciona como algo mucho más complicado que una simple estratificación en clases de naturaleza económica. Admitiendo que en un momento dado existan la nobleza, la burguesía y el proletariado, el problema del arte se complica infinitamente como consecuencia de los siguientes factores:

Los grupos verticales. Mientras los reflejistas tienen sólo en cuenta las clases horizontales, esos grupos tienen gran peso en la producción, el tipo y la tonalidad del arte. Estos sectores que atraviesan de arriba a abajo una sociedad, ya sean de edad o de religión, de sexo o de temperamento, tienen un decisivo efecto sobre las creaciones tan sutiles del alma humana, que no sólo reacciona de acuerdo con los problemas económicos sino con sus ansiedades propias de la edad o de su sexo, con las preocupaciones de su religión o su moral, etc. Lalo y otros sociólogos han observado que los niños, por ejemplo, son en general conservadores en lo que al arte se refiere. El guiñol y los títeres perpetúan los personajes de la antigua comedia italiana; las fábulas y los cuentos son vestigios de antiguos mitos; sus juegos son antiquísimos y universales (un niño del Tibet juega con las mismas piedrecitas y las mismas reglas que el chico argentino que en mi infancia jugaba al "inenti"), instrumentos antiguos como la cerbatana, la honda o el arco siguen manteniendo su prestigio al lado de las ametralladoras; su música conserva arcaicos instrumentos, como el tambor y la matraca.

También son conservadores, aunque por otros motivos, los viejos, los hombres de campo y los grupos religiosos; razón por la cual nuestros sacerdotes siguen vistiendo como en la Edad Media y la inmensa mayoría de nuestras iglesias siguen haciéndose en estilo románico o gótico.

Son en cambio revolucionarios los adolescentes, los jóvenes, ciertos tipos de adultos (neuróticos, resentidos, inadaptados, inquietos, pobres).

Además de los grupos conservadores y de los revolucionarios están los *propagadores*: religiosos, comerciantes, naciones colonizadoras, sectas artísticas, razas migratorias como los judíos. Así, en el caso del gótico, su difusión fue obra de los obispos cistersianos y de los estudiantes de la Universidad de París. Del mismo modo, los mahometanos transformaron la arquitectura de la India, llevándole el minarete y la cúpula en forma de bulbo. ¿Cómo explicar estos objetos o modalidades del arte por la sola realidad económica de una nación? La influencia de la religión sobre el arte, en general, suele ser mucho más poderosa que la de cualquier otro factor social: la prohibición musulmana de representar la divinidad les quitó la posibilidad de una plástica como la de los católicos, y en cambio los impulsó al arabesco y a la arquitectura; en Holanda, por un motivo parecido, el artista pintor se volcó hacia el paisaje y el retrato burgués; y es probable, a mi juicio, que la prohibición luterana de las imágenes, al arrancarle al artista buena parte de sus ansiedades de expresión, haya sido la causa o una de las causas del notable desarrollo musical a partir de la Reforma.

Otra complicación que nada tiene que hacer con las clases es la de las *transfusiones culturales*, ya sea por la conquista o la guerra, por el comercio o la emigración o, en fin, por la llegada de una religión prestigiosa a un territorio nuevo. Infinidad de creaciones, algunas de enorme trascendencia y vigor, se deben a esta clase de transfusiones: la música negra en América, con su síntesis de corales luteranos, canciones escocesas o irlandesas y vieja tradición africana es el ejemplo significativo. En algunos casos la cultura es herida de muerte, como se ve en comunidades conquistadas brutalmente por la sórdida colonización europea, con sus artículos de bazar y sus telas producidos en masa en la metrópoli. Pero en general se produce el hibridaje, y así como los europeos entran en el África, los africanos entran en Europa, el arte negro se inyecta sutilmente en la cultura de los conquistadores.

Además de las influencias provenientes de los grupos verticales, además de los factores temperamentales que son propios de cada individuo y que puedan darse en cualquier clase social, todavía en el arte hay una fuerza intrínseca que poco tiene que ver con la sociedad: operan en él el cansancio y el capricho. Como las modas en el vestir, muchas de sus renovaciones ocurren por agotamiento psíquico, por hastío, por el solo placer de llevar la contra a la generación anterior o a enemigos poderosos en el propio arte, por frivolidad, por rencor, por astucia, por el solo gusto del cambio. Y por motivos semejantes a los que hacen a un niño sentirse más unido a su abuelo que a su padre, en virtud de esos dos rencores sucesivos, Proust no sale de Balzac sino de Saint-Simon.

Por último, la "duración artística" no coincide con la astronómica, ni con la social, ni con la psicología, excepto en casos muy excepcionales: la oda pindárica surgió como consecuencia de los juegos nacionales, pero desapareció aun cuando esos juegos perduraron. Para colmo, la duración no es la misma en las diferentes artes, aunque hayan nacido sincrónicamente y por un impulso común: el templo griego (y tanto por el espíritu conservador de las religiones como por motivos materiales y físicos) no cambió casi en un milenio y por esos motivos es más fácil seguir la huella de los grandes ciclos en la arquitectura que en la pintura o en la literatura, donde es más visible y más operante la lucha de generaciones o escuelas.

Es, pues, inútil buscar paralelismos estrechos entre el arte y la organización social de su tiempo. Aun suponiendo que las condiciones económicas o de clase ejercen influencia sobre el artista, esa influencia a menudo es inversa, y además sobre su espíritu ejercen simultánea influencia la tradición, las obras o las modalidades de otra cultura rival o conquistadora o paradigmática, el temperamento del creador, su edad, sus crisis personales, su religión o su filososfía, el cansancio o el entusiasmo, sus resentimientos de capilla.

MÁS SOBRE ARTE Y ESTRUCTURA ECONÓMICA

TOMEMOS el caso más favorable para los que imaginan el arte como un reflejo de la estructura económica: el Renacimiento. Se sabe cómo a partir del siglo XII surgen las comunas y con ellas una nueva clase dominada por el cálculo. También se sabe cómo esa mentalidad se impone en todas las manifestaciones del espíritu, hasta llegar a la pintura con la perspectiva y la proporción. Y sin embargo ¡cuántas complicaciones! Ya en pleno Renacimiento, comparemos la *Cena* de Leonardo con la tumultuosa realización del mismo tema en Tintoretto. O comparemos el desmesurado arte gótico de las comunas francesas o alemanas con el arte clásico de los italianos, a pesar de la semejante estructura económica. Más, aún: en la propia ciudad, hasta en la misma clase de gente ¿qué tiene de común el arte desgarrado y angustioso de Migel Ángel con ese espíritu realista y calculador de los burgueses que lo rodean? Y hasta en el mismo creador, en fin, en virtud de esa eterna lucha entre el impulso dionisíaco y la forma apolínea que siente todo gran artista ¿cómo explicar mediante las estructuras económicas o sociales, que siguen siendo las mismas, el contraste entre las obras severamente clásicas de ese mismo Miguel Ángel y sus estallidos barrocos? ¿o entre el Donatello romántico y místico del San Giovannino con el clásico del Gattamelata?

A QUIEN ESCRIBIERE

"HABER escrito algo que te deja como un fusil disparado, que aún se sacude y humea, haberte vaciado por entero de vos mismo, pues no sólo has descargado lo que sabés de vos mismo sino también lo que sospechás y suponés, así como tus estremecimientos, tus fantasmas, tu vida inconsciente y haberlo hecho con sostenida fatiga y tensión, con constante cautela, temblores, repentinos descubrimientos y fracasos, haberlo hecho de modo que toda la vida se concentrara en ese punto dado, y advertir que todo ello es como si no existiera si no lo acoge y le da calor un signo humano, una palabra, una presencia; y morir de frío, hablar en el desierto, estar solo noche y día como un muerto." (Pavese)

SOFISMAS SOBRE LITERATURA POPULAR

EL pueblo de hoy no es esa fresca y virginal fuente de toda sabiduría y de toda belleza que imaginan ciertos estéticos del populismo, sino el alumnado de una pésima universidad, envenenado por el folletín de la historieta o la fotonovela, por un cine para oficinistas y por una retórica para chicas semianalfabetas y cursis.

Acaso el pueblo, tal como existía en las primitivas comunidades, tenía un sentido profundo y verdadero del amor y la muerte, de la piedad y el heroísmo. Ese sentido profundo y verdadero que se manifestaba en la mitología, en sus cuentos folklóricos y leyendas, en la alfarería y en las danzas rituales. Cuando el pueblo estaba aún entrañablemente unido a los hechos esenciales de la existencia: al nacimiento y la muerte, a la salida y puesta del sol, a las cosechas y al comienzo de la adolescencia, al sexo y el sueño. Pero ahora ¿qué es, realmente, el pueblo? Y, sobre todo, ¿cómo puede tomárselo como piedra de toque de un arte genuino cuando está falsificado, cosificado y corrompido por la peor literatura y por un arte de bazar barato? Basta comparar la vulgaridad de cualquier estatuita fabricada en serie para el adorno del hogar o para una iglesia contemporánea con un ícono popular, o un fetiche africano para advertir el enorme foso que se ha abierto entre el pueblo y la belleza. En la tribu más salvaje del Amazonas o del África central no encontraremos jamás la vulgaridad ni en sus potiches ni en sus vasijas ni en sus trajes que hoy nos rodean por todos lados.

Así llegamos a otra conclusión que podría parecer paradojal. Y es que en nuestro tiempo sólo los grandes e insobornables artistas son los herederos del mito y de la magia, son los que guardan en el cofre de su noche y de su imaginación aquella reserva básica del ser humano, a través de estos siglos de bárbara enajenación que soportamos.

No es, en suma, el artista quien está deshumanizado, no es Van Gogh o Kafka quienes están deshumanizados, sino la humanidad, el público.

ARTE MAYORITARIO

CONTRA los que pretenden, demagógicamente, que toda gran obra de arte a la larga es mayoritaria y contra los exquisitos que pretenden lo contrario, creo que es fácil demostrar que ambas pretensiones son sofísticas.

1. Hay literatura grande y sin embargo minoritaria: Kafka.

2. Hay literatura minoritaria y sin embargo mala; la mayor parte de los poemas que hoy se escriben, meros logogrifos o logomáquicos.

3. Hay literatura grande y mayoritaria: *El viejo y el mar*.

4. Hay literatura mayoritaria y mala: historietas, fotonovelas, literatura rosa, casi toda la literatura policial.

COMPLEJIDAD DE TEMAS Y PERSONAJES

NO hay temas grandes y temas insignificantes: hay escritores grandes y escritores insignificantes. La historia de un estudiante pobre que mata a una usurera, en manos de un cronista de diario, o en manos de uno de esos escritores que creen en el objetivismo del arte periodístico, no será más que una historia corriente de la gran ciudad. Hay miles de historias como ésas. En manos de Dostoievsky ya sabemos lo que es.

Lo mismo con respecto a los personajes.

EL SURREALISMO

NO es casualidad que me acercara al surrealismo cuando, en 1938, culminó mi cansancio y hasta mi asco por el espíritu de la ciencia. Y así, mientras de día trabajaba en el Laboratorio Curie, de noche me reunía con Domínguez, aquel auténtico surrealista que terminó suicidándose después de ingresar en un manicomio. Pero entonces pude advertir todo lo que el movimiento tenía de grandeza y de miseria.

En 1916, en esa Suiza que es la quintaesencia del espíritu burgués, Tristan Tzara lanzó el movimiento Dada. Con verdadera furia, esos espíritus moralizadores se echaron contra los lugares comunes y la hipocresía de una sociedad caduca. La razón burguesa aparecía como el enemigo principal y contra ella dirigieron sus ataques, primero Dada y luego el surrealismo que es su heredero. La gran época de esta insurrección se extiende hasta la aparición, en 1930, del segundo manifiesto. Allí se inicia la paulatina decadencia y cuando conocí a Domínguez, y luego a Breton, era evidente que aquello estaba en sus estertores.

Los románticos ya habían opuesto la poesía a la razón, del mismo modo que se opone la noche al día. Pero los surrealistas llevaron esta actitud hasta sus últimas instancias. Para Breton, la imagen vale tanto más cuanto más absurda es: de ahí la invocación al automatismo, a la imaginación liberada de todas sus trabas racionales. De ahí, también, su desdén por las normas, los clásicos y las bibliotecas. El surrealismo se ponía fuera de la estética y hasta del arte: era más bien una actitud general ante la vida, una búsqueda del hombre profundo por debajo de las convenciones decrépitas. ¿Cómo podía no admirar a Freud y a Sade, a los primitivos y a los salvajes?

Pero, paradójicamente, se convirtió en un método para la obtención de un nuevo género de belleza, de una suerte de belleza al estado salvaje. Así como de una nueva moral, la moral que queda cuando se arrancan todas las caretas impuestas por una sociedad cobarde e hipócrita: una moral de los instintos y el sueño.

Se lo deseara o no, se producen una estética y una ética surrealista.

Pero al cristalizarse en manifiestos y recetas, comienza la decadencia. Pues, en general, no hay peor conservatismo que el de los revolucionarios triunfantes. De la búsqueda de una autenticidad salvaje se desembocó en un nuevo academismo, cuyo paradigma lo constituyó Salvador Dalí: farsante que, después de todo, fue producido por el surrealismo y que, de alguna manera, mostró de modo ejemplar sus peores atributos. Y si no es lícito juzgar el movimiento, como muchos lo hacen, exclusivamente por productos como Dalí, tampoco es lícita la pretensión de ciertos surrealistas que piden se juzgue el movimiento con exclusión de ese payaso. Ya que no es por azar que un hombre como Dalí haya surgido en el surrealismo, y al fin y al cabo gozó de la bendición de su pontífice como atributos que eran ni más ni menos que los actuales.

La verdad es que demasiado a menudo, el movimiento fue propenso a la mistificación, y auténticos desesperados como mi amigo Breton, fueron escasos. Y muy pocos fueron los que, como el gran Artaud, concluyeron en el manicomio.

Tampoco se debe a un mero azar la grandilocuencia que suele caracterizar a sus partidarios, ya que la falsificación de fondo viene casi siempre acompañada de pomposidad en la forma. Esa retórica fue ya una de las peores calamidades que afectaron al romanticismo, reapareció en surrealistas que así creían espantar al burgués y terminó por asquear a sus auténticos poetas, del mismo modo que un genuino romántico como Stendhal se propuso escribir en la seca lengua de las matemáticas y el derecho: es el asco de un verdadero espíritu religioso por los beatos y aprovechados de la religión.

Pero hay algo auténtico en el surrealismo, que sigue manteniendo su validez y que, en cierto modo, se prolonga y profundiza en el movimiento existencialista: la convicción de que ha concluido el dominio de la mera literatura y del mero arte, de que ha llegado el momento de colocarse más allá de las puras preocupaciones estéticas para enfrentar los problemas del hombre y su destino. La empresa de liberación iniciada por el romanticismo y llevada contra una sociedad hipócrita y convencional, sigue siendo la condición previa para el replanteo de la condición humana en nuestro tiempo, y particularmente por la colocación del arte y la literatura en sus verdaderos términos. Era necesario el terrorismo de los surrealistas para emprender cualquier empresa de reconstrucción. Había que acabar de una vez con los pequeños dioses de la sociedad burguesa, con su moral hipócrita, con su filisteísmo, con su acomodo y su optimismo superficial, para abrir las puertas de una existencia más profunda. Nuestro tiempo es el de la desesperación y la angustia, pero sólo así puede iniciarse una nueva y auténtica esperanza. El error consiste en creer que basta con esa primera fase, de pura destrucción y de puro irracionalismo, ya que el hombre es también, y fundamentalmente, superación del yo y de sus instintos hacia el nosotros, la comunidad y el diálogo. Era inevitable que realizada la tarea destructiva, el surrealismo decayese y se conviertiera en una academia paradojal. Ya que una academia del surrealismo es algo así como una junta de buenas costumbres en el infierno.

En 1938, cuando conviví con ellos, se vivía ya de recuerdos y al impulso anarquista de los tiempos heroicos había sucedido una ortodoxia escolar. Al terminar la primera guerra era necesario acabar con muchos siniestros mitos de la civilización mercantil. Pero al terminar la segunda guerra, esos mitos ya estaban hechos añicos. Y los hombres habían visto demasiadas catástrofes y ruinas para no sentir necesidad de construir. Ya había la bastante desolación como para poder entrever, a través de las gigantescas grietas de un mundo devastado, cuáles podían ser las nuevas obligaciones de la criatura humana. Como alguien ha dicho, ya no bastaba con emitir alaridos para asustar al burgués, con volver a los fetiches del África central, ni siquiera con volverse locos: era necesario acometer la dura tarea de una nueva construcción, aunque fuera en medio de las tinieblas y la desesperanza. No bastaba con preconizar la simple irracionalidad, que después de todo la Gestapo la había practicado mejor que ellos: era menester darse cuenta de que si el hombre no era pura racionalidad, como pretendió una civilización maquinista, tampoco era pura irracionalidad; y que si el hombre era irreductible a la simple razón también era irreductible al puro instinto.

Había llegado, en fin, el momento de una nueva síntesis. El que no comprenda esta necesidad no comprenderá tampoco cuáles son los grandes problemas del hombre de hoy. Y, en consecuencia, cuáles son los dilemas centrales de una gran literatura de nuestro tiempo.

EL ARTE COMO REBELIÓN ROMÁNTICA

Es artificioso poner flechas exactas a la rebeldía romántica, si por tal debemos entender su sentido más profundo: la reivindicación de los valores vitales frente a los puros valores del intelecto. Es un vasto, complejo y sutil movimiento que nunca cesó de existir desde el momento mismo en que los griegos decretan la excomunión del cuerpo y sus pasiones. A veces abiertamente, otras veces en secreto y con aviesa perversidad (irónicamente en el terreno mismo del adversario, como en la novela de Diderot), esa invencible fuerza del hombre concreto no desapareció jamás, hasta que estalló con toda su potencia a fines del siglo XVIII en un movimiento que arrasaría en el mundo entero con las ideas tan trabajosamente levantadas por el racionalismo. Desde el Renacimiento hasta la Revolución Francesa, esas fuerzas insurgieron no sólo en el arte (en que son condición previa e indispensable, cualesquiera sean las prestigiosas doctrinas que dominen oficialmente), sino en el mismo pensamiento; pensadores como Pascal en pleno siglo XVII, escritores como Swift, en Inglaterra, y filósofos como Vico en la propia Italia abren el camino al hombre que en el siglo siguiente haría la proclamación de los Derechos del Corazón. A través de sociedades ocultistas que mantuvieron de modo secreto el Saber Tradicional, en esotéricos como Claude de Saint-Martin y Fabre d'Olivet, en taumaturgos charlatanes como Cagliostro, en místicos como Swedenborg, que abandonan la ciencia para entregarse a la magia, y, en fin, en el territorio mismo del enemigo, en teorías como las del "magnetismo animal". Pero, naturalmente, el poder irresistible de la inconsciencia se revela de modo ejemplar en la literatura de ficción; y así, en el *Candide* uno de los campeones de los Tiempos Modernos deja escapar los espectros de la negra desesperación a través de la corteza del pensador ilustrado.

Así como resulta artificial poner una flecha precisa, es ilusorio demarcar los límites geográficos de este movimiento. Y si es explicable que adquiriese su máxima espectacularidad en el país que era el centro de la doctrina adversa, no debemos olvidar que fueron dos naciones laterales las que lo alimentaron y luego le dieron más trascendencia. En Inglaterra, donde el realismo y el sentimentalismo nunca fueron demasiado propicios a los excesos de la razón, y en Alemania, donde había un pueblo predispuesto más que ningún otro al romanticismo, hasta el punto de que más tarde daría el fundamento filosófico al movimiento entero, fundamento que ayudaría a vencer al racionalismo en su propia metrópolis. Por el momento, en virtud de esa paradoja que es tan frecuente en el desenvolvimiento del espíritu, Alemania descubriría su doctrina importándola desde el país intelectualmente más prestigioso. (Fenómeno que también se daría, en escala gigantesca, en nuestro continente latinoamericano.) Desde la época de Federico el Grande los pueblos germanos vivían subyugados por las ideas francesas, de modo que su *Aufklaerung* no es más que un remedo del Iluminismo. Y pertenece a la ironía de la dialéctica que el reencuentro de los pueblos germánicos con su propio espíritu se haya hecho a través de su apócrifo afrancesamiento: son las ideas de Rousseau acerca de la oposición de naturaleza y cultura las que provocan en buena medida un movimiento tan germánico como el *Sturm und Drang*, movimiento que con su Kraftmensch, demiurgo y fuerza de la naturaleza, lleva no sólo al romanticismo alemán, sino a la misma filosofía de Nietzsche. No hay que imaginar, pues, que esto salió de las páginas de Rousseau: surgió de los más profundos estratos del espíritu germánico de aquel tiempo, sirviendo las ideas de Rousseau como simples detonadores, además, claro, de conferirles la honorabilidad intelectual que por aquella época sólo podía conferir un escritor de lengua francesa.

El desencantamiento de la cultura por obra del racionalismo provocó así el resurgimiento de lo mágico, que es el atributo central del movimiento romántico. Y ya se advierte esta peculiaridad en aquel Haman, "mago del Norte", para quien la poesía era una forma de la profecía. De él a su discípulo Herder y de éste al joven Goethe, los misterios de Eleusis fueron la clave de la nueva poesía. ¿Cómo asombrarse de que reivindicaran el sueño, la infancia y la mentalidad primitiva? Herder veía en la poesía una manifestación de las fuerzas elementales del alma, y al lenguaje poético como al lenguaje primigenio de la criatura humana: el lenguaje de la metáfora y la inspiración, no el rígido y abstracto idioma de la ciencia, tal como si hubiera leído a Vico. El descubrimiento de Shakespeare por estos alemanes es como el símbolo de la insurrección, y el Goethe juvenil, que en su ancianidad morirá renegando de aquel romanticismo, soñaba por entonces con convertirse en el Shakespeare alemán. Y que el romanticismo era acaso lo más valioso que aún en su vejez guardaba recónditamente lo revela aquella defensa de Byron y su afirmación de que "para ser poeta tiene uno que entregarse al demonio".

A través del sueño y la demencia, de la embriaguez y el éxtasis, el romanticismo germánico vio en la poesía y en la música el camino del auténtico conocimiento, reviviendo en cierto modo las doctrinas iniciáticas de la antigüedad y enfrentando las raíces mismas del espíritu socrático y del pensamiento burgués.

El romanticismo no fue un mero movimiento en el arte, sino una vasta y profundísima rebelión del espíritu todo y que no podía no atacar las bases mismas de la filosofía racionalista. Las cosas habían llegado demasiado lejos para que no tuvieran que empezar a retroceder. Al adolescente entusiasmo de los técnicos empezó a oponerse la sospecha de que ese tipo de mentalidad podía ser funesto para el hombre. Frente al frígido museo de símbolos algebraicos sobrevivía el hombre carnal que preguntaba para qué servía todo el gigantesco aparato de dominio universal si no era capaz de mitigar su angustia, ante los dilemas de la vida y de la muerte.

Frente al problema de la esencia de las cosas se planteó el problema de la existencia del hombre. Y frente al conocimiento objetivo se reivindicó el conocimiento del hombre mismo, conocimiento trágico por su misma naturaleza, un conocimiento que no podía adquirirse con el auxilio de la sola razón, sino además —y sobre todo— con la ayuda de la vida misma y de las propias pasiones que la razón descarta.

Nietzsche se preguntó si la vida debía dominar sobre la ciencia o la ciencia sobre la vida, y ante este interrogante característico de su tiempo, afirmó la preeminencia de la vida. Respuesta típica de todo el vasto insurgimiento que comenzaba. Para él, como para Kierkegaard, como para Dostoievsky, la vida del hombre no puede ser regida por las abstractas razones de la cabeza, sino por *les raisons du coeur.* La vida desborda los esquemas rígidos, es contradictoria y paradojal, no se rige por lo razonable, sino por lo insensato. ¿Y no significa esto proclamar la superioridad del arte sobre la ciencia para el conocimiento del hombre?

Kierkegaard colocó sus bombas en los cimientos de la catedral hegeliana, culminación y gloria de la racionalidad occidental. Pero al atacar a Hegel, en rigor ataca al racionalismo entero, con la sagrada injusticia de los revolucionarios, pasando por alto sus matices y variedades, hasta alcanzar finalmente a la conducta simplemente razonable. Ya habría tiempo, como lo hubo, para indemnizar los daños laterales. Contra el Sistema, defiende la radical incomprensibilidad de la criatura humana: el existente es irreductible a las leyes de la razón, es el loco dostoievskiano que escandaliza con sus tenebrosas verdades, ese endemoniado (¿pero qué hombre no lo es?) que nos convence que para el ser humano el desorden es muchas veces preferido al orden, la guerra a la paz, el pecado a la virtud, la destrucción a la construcción. Ese extraño animal es contradictorio, no puede ser estudiado como un triángulo o una cadena de silogismos; es subjetivo, y sus sentimientos son únicos y personales; lo contingente, un hecho absurdo que no puede ser explicado. Ya Pascal había expresado patéticamente: "Cuando considero la corta duración de mi vida, absorbida en la eternidad precedente y en la que me sucederá, el pequeño espacio que ocupo y hasta que veo, sumergido en la infinita inmensidad de los espacios que ignoro y que me ignoran, me asombro de verme aquí y no allá, porque no hay razón para encontrarme aquí más bien que allá, ahora y no antes. ¿Quién me ha puesto aquí? ¿Por orden y meditación de quién me han sido destinados este lugar y este tiempo?"

No hay respuesta genuina para estos interrogantes en el Sistema que al querer comprender al hombre con minúscula lo aniquila. Pues el Sistema se funda en esencias universales, y aquí se trata de existencias concretas.

Así, el Universo Abstracto desembocó de nuevo y brutalmente, en el Uno Concreto.

Pero, en realidad, en el propio Hegel existían ya los elementos de su negación, pues el hombre no era para él aquella entelequia de los iluministas, ajeno a la tierra y a la sangre, ajeno a la sociedad misma y a la historia de sus vicisitudes; sino un ser histórico, que va haciéndose a sí mismo, realizando lo universal a través de lo individual. Este sentido histórico del hombre, sin embargo, se hará una genuina reacción contra el racionalismo extremo en su discípulo Karl Marx, al convertir la criatura humana no sólo en proceso histórico sino en fenómeno social: "El hombre no es un ser abstracto, agazapado fuera del mundo. El hombre es el mundo de los hombres, el estado, la sociedad". Y la conciencia del hombre es una conciencia social: el hombre de la *ratio* era una abstracción, pero también es una abstracción el hombre solitario. Convertido en una entelequia por los racionalistas del género de Voltaire, alienado por una estructura social que lo ha convertido en simple productor de bienes materiales, Marx enuncia los principios de un nuevo humanismo: el hombre puede conquistar su condición de "hombre total" levantándose contra la sociedad mercantil que lo utiliza.

Resulta superfluo llamar la atención sobre las semejanzas que esta doctrina manifiesta con relación al nuevo existencialismo, que, después de Husserl, logrará superar el subjetivismo de Kierkegaard; su interés por el hombre concreto, su rebelión contra la razón abstracta, su idea de la alienación, su reivindicación de la *praxis* sobre la *ratio.*

Así nos encontramos que de la doble vertiente que proviene de Hegel, la del extremo subjetivismo de Kierkegaard y la del socialismo de Marx, se llegará a una síntesis que darán en nuestro siglo los filósofos de uno y otro origen, cualesquiera sean las consideraciones respectivas que sobre estos pensadores hagan los que en nombre de Marx establecieron una nueva Escolástica en la Rusia de Stalin.

Hay que decir, no obstante, que algo estaba implícito en la misma doctrina de Marx. Este filósofo fue una naturaleza dual, pues por una parte su romanticismo lo llevaba a adorar a Shakespeare y a los grandes poetas alemanes, así como a sentir una fuerte nostalgia por ciertos valores caballerescos arrasados por la grosera sociedad de mercaderes; y por otra tenía una poderosa mentalidad racionalista. Por lo demás, la ciencia dominaba todo y su prestigio era todavía creciente: ¿cómo asombrarnos que al socialismo "utópico" de sus predecesores, Marx opusiera el socialismo "científico" basado en una dialéctica materialista?

Su *praxis* significaba la superioridad de la experiencia y de la acción sobre la razón pura, y en esto se apartaba y se oponía al criterio del Iluminismo. Pero, por otra parte, compartía con esos filósofos el mito de la Ciencia y de la Luz contra las potencias oscuras. Pero siendo estas potencias de gran importancia en el hombre concreto, al repudiar ese mundo resistente a la lógica y hasta a la dialéctica, repudiaba en buena medida a ese mismo hombre concreto que por el otro lado trataba de salvar.

Y eso no era todo. Si bien es cierto que la razón pura conducía a una especie de entelequia en lugar del hombre, también es cierto que la ciencia experimental, hecha de razón más experiencia, también conducía a un esquema abstracto del universo y a la inevitable enajenación del hombre en favor del mundo objetivo.

De este modo, si es verdad que la desocupación, la miseria, la explotación de clases o de países enteros por clases o países privilegiados, son males inherentes al régimen capitalista, también es verdad que otros males de la sociedad contemporánea subsistirían aun en el caso de un simple cambio social, porque son propios del espíritu científico y del maquinismo: la mecanización de la vida entera, la taylorización general y profunda de la raza humana, dominada cada día más por un engendro que parece manejar la conciencia de los hombres desde algún tenebroso olimpo. Esa misma mentalidad cientificista, ese mismo espíritu tecnolátrico, ese mismo endiosamiento de la máquina y de la ciencia, ¿no lo vemos acaso, por igual, en los Estados Unidos de los Rockefeller y en la Rusia de los Soviets?

VENTAJAS DE LA INCOMPRENSIÓN

BUENA observación de Van Wyck Brooks: "¿No es acaso un hecho que los novelistas en general triunfan gracias a sus irritaciones e indignaciones? Hawthorne triunfó en el polvo y en el viento de Salem. Flaubert, Stendhal, Sinclair Lewis y Dreiser son otros tantos ejemplos. ¿Y no demuestran las primeras novelas de Henry James que también a él se le puede aplicar esta regla? Mientras trataba con norteamericanos nativos, que siempre le incomodaban, todo le salió bien. Inglaterra le gustaba demasiado y a eso se debió su fatuidad posterior... Las gentes demasiado buenas o cultivadas lo arrullan a uno insensiblemente en una especie de fatuidad. Se entra en un paraíso de necios. Salvo en muy pequeñas dosis, la 'buena sociedad' no es propicia para los escritores. Puesto que necesitan ser incomprendidos, requieren algo áspero en la atmósfera que los rodea... Los niños tienen tanto derecho a la incomprensión como a la comprensión. Lo mismo ocurre con los escritores y artistas, y éste es uno de los motivos por los que Inglaterra ha sido tan fértil en genios."

RELACIÓN ENTRE EL AUTOR Y SUS PERSONAJES

ALGUNOS contemporáneos de Balzac nos dicen que era vulgar y vanidoso. Pero lo cierto es que es capaz de crear personajes de una grandeza que no condicen con ese Balzac real (¿o aparente?). Los personajes surgen del corazón del escritor, pero pueden superarlo en bondad, en sadismo, en generosidad, en avaricia.

Todos los personajes de una novela representan, de alguna manera, a su creador. Por todos, de alguna manera, lo traicionan.

Madame Bovary soy yo, qué duda cabe. Pero también soy Rodolphe, en mi incapacidad para soportar mucho tiempo el temperamento romántico de Emma. Y también soy M. Homais, pues ¿mi romanticismo extremo no me ha terminado por convertir en algo así como un ateo del amor?

A medida que esos personajes de novela van emanando del espíritu de su creador, se van convirtiendo, por otra parte, en seres independientes; y el creador observa con sorpresa sus actitudes, sus sentimientos, sus ideas. Actitudes, sentimientos e ideas que de pronto llegan a ser exactamente los contrarios de los que el escritor tiene o siente normalmente: si es un espíritu religioso verá, por ejemplo, que alguno de esos personajes es un feroz ateo; si es conocido por su bondad o por su generosidad, en algún otro de esos personajes advertirá de pronto los actos de maldad más extremos y las mezquindades más grandes. Y cosa todavía más singular: no sólo experimentará sorpresa sino, también, una especie de retorcida satisfacción.

¡FLAUBERT, PATRONO DE LOS OBJETIVISTAS!

EL público francés esperaba ya esa especie de Cervantes que hiciera con el romanticismo empalagoso de las novelas de amor lo que aquél había hecho con las novelas de caballería. Y Flaubert se dispuso al sacrificio, no a pesar de ser él mismo un romántico sino justamente por eso, como un místico puede poner una bomba en una iglesia pervertida.

Así surge uno de los más pertinaces malentendidos de la novelística: el de la objetividad. Tan pertinaz que el *Nouveau Roman* proclama a Flaubert como su patrono. Que esa ilusión poseyera a los hombres de aquel período no es sorprendente: eran los tiempos de la ciencia. Que esa ilusión se propagara a los sofisticados narradores del París actual, eso sí que es divertido. Pero es cierto que los errores suelen ser más pertinaces que las verdades.

Pobre Flaubert. El hombre que decía "mes personnages imaginaires m'affecten, me poursuivent, ou plutôt, c'est moi qui suis en eux".

Por lo demás, el creador está en todo, no sólo en sus personajes: él ha *elegido* ese drama, esa situación, ese pueblo, ese paisaje. Y cuando escribe: "Quant au souvenir de Rodolphe, elle l'avait descendu tout au fond de son coeur, et il restait là, plus solennel et plus immobile qu'une momie de roi dans un souterrain", ¿es acaso la pobre Emma que así es capaz de describir el cadáver de su pasión?

LITERATURA PROBLEMÁTICA — LITERATURA GRATUITA

problema	juego
vida	palabras
acento metafísico	acento estético
preocupación	indiferencia
desnudez	pompa
espíritu combatiente	espíritu cortesano

EL TEMBLOR DE ESCRIBIR

"JE ne m'attaque jamais à une oeuvre nouvelle que dans le tremblement. Je vis dans le tremblement d'écrire. Et plus on va, je crois, plus on a peur." (Péguy)

DESAZÓN Y LITERATURA NACIONAL

EN todos estos últimos años, en estas décadas de desazón y de tristeza, he pensado que una literatura nacional no lo es porque recurra a los atributos externos de vestimenta o de lenguaje. Y que puede serlo, en el más profundo sentido, una literatura que exprese nuestro desconcierto. Ya que si los problemas últimos del hombre son perennes (los problemas de su esencial finitud, de su esencial imperfección terrenal), esos monstruos de la soledad y de la desesperanza sólo aparecen en la angustiosa noche de una nación.

Así como la madurez de un hombre comienza cuando advierte sus limitaciones, la de una nación comienza cuando sus conciencias más lúcidas comprenden que las infinitas perfecciones de que, como a la madre, la creían dotada, no son tales; y que, como en otras naciones, como en todas las naciones, sus virtudes están inexorablemente unidas a sus taras, taras de las que los seres honestos no pueden sino acusarse y avergonzarse. Motivo por el cual creo que nosotros empezamos a ser de verdad una nación madura. Y como al fin y al cabo cada hombre llega a tener con los años el rostro que se merece (puesto que ha sido elaborado no sólo con su carne sino con su espíritu, con sus valentías y cobardías, con sus grandezas y con sus miserias), nuestra patria tiene finalmente, en su madurez, el rostro que debía tener, el rostro que todos y cada uno de nosotros le hemos ido forjando sobre su carne viva: políticos o artistas puros, proxenetas y honestos padres de familia, millonarios y peones, ateos y creyentes. De modo que si todos podemos reivindicar sus virtudes, nadie que no sea un canalla puede declararse sin culpa por sus males.

TRISTEZA, RESENTIMIENTO Y LITERATURA

Pocos países en el mundo debe de haber en que el sentimiento de nostalgia se haya reiterado tantas veces: en los primeros españoles, porque añoraban su patria lejana; luego en los indios, porque añoraban su libertad perdida y su propio sentido de la existencia; más tarde, en los gauchos desplazados por la civilización gringa, exiliados en su propia tierra, rememorando la edad de oro de su salvaje independencia; simultáneamente, en los viejos patriarcas criollos, porque sentían que aquel hermoso tiempo de la generosidad y de la cortesía era suplantado por el más crudo materialismo; y, en fin, en los inmigrantes porque extrañaban su terruño europeo, sus costumbres milenarias, sus navidades de nieve junto al hogar, las leyendas de sus lares.

En este país de snobs hubo dos momentos capitales con respecto a la tristeza argentina: el primero, de embobamiento ante los pensadores europeos que nos la revelaron; el segundo, casi al mismo tiempo, de violenta reacción, por una de las tantas manifestaciones de nuestro sentimiento de inferioridad. Como si fuera más honorable ser alegre, como si precisamente nuestra tristeza no fuese manifestación de un excelente atributo de nuestra conciencia: ¡bueno fuera si con todo lo que nos pasa tuviéramos además la ligereza de estar alegres!

Por otra parte, la autenticidad está probada por el hecho de que nuestra mejor literatura es triste, melancólica o pesimista: desde Hernández hasta Borges y Marechal, pasando por Payró, Lynch, Güiraldes y Arlt. Cada vez que somos profundos, expresamos esa tonalidad de sentimientos. Cada vez que, forzados por teorías o recriminaciones, intentamos ser alegres ofrecemos en nuestros libros un espectáculo tan torpe y apócrifo como cuando un argentino intenta divertirse en una boîte. Como los rusos del siglo pasado, empieza riendo y tomando, y termina llorando y tomando; cuando no concluye rompiendo todo lo que tiene a mano.

Esa modalidad sentimental, tan genuina y poco intelectual que hasta se manifiesta en ese suburbio de la literatura que es el tango, indica una propensión metafísica del argentino de hoy. Sus orígenes hay que buscarlos en esa reiterada sustitución de jerarquías y valores. Pero también hay un escenario de fondo que la favoreció: el desierto.

Ya desde el comienzo, cuando los amargados segundones de España llegaban a probar fortuna en este inmenso territorio *vacío*, en este paisaje abstracto y desolado, empezó a formarse esa tendencia hacia la reserva y el silencio que se constituyó finalmente en carácter del gaucho. No es casual que las grandes religiones abstractas de Occidente nacieran en el desierto, en solitarios hombres enfrentados con esa metáfora de la Nada y de lo Absoluto que es la llanura sin atributos. También aquí surgió del anonadamiento en la pampa esa propensión religiosa y esa esencial melancolía del paisano que se siente escuchando una cifra o un triste. A esto se agregó después, cuando el país abrió sus puertas a la inmigración, el sentimiento del exilio en su propia tierra, que tan patéticamente describió Hernández en su poema. Con el tumultuoso y materialista desarrollo de Buenos Aires, con la corrupción y venalidad de sus políticos, con el arribismo y el cinismo de sus usufructuadores, se agravó esa propensión del argentino, complicándolo, para colmo, con un complejo resentimiento social, que a menudo se transformará en lo que podríamos llamar un resentimiento metafísico.

Esto del resentimiento es otra cosa que enardece a los mismos críticos de la izquierda a que antes me referí, supongo porque parece añadir a las justas reivindicaciones sociales un sentimiento poco honroso. La verdad es que el mal y todas sus manifestaciones o derivaciones son en definitiva el motor que hace marchar a la historia, y pienso que con la sola tesis del Bien absoluto y sonriente como un Buda que mira su ombligo, sin el Mal que se sitúa enfrente y empieza a pugnar, muy pocas perspectivas tendría Hegel de hacer marchar sus tríadas en pos de la Idea Absoluta. Negar el resentimiento en la Argentina puede ser lindo, pero tiene el pequeño defecto de ser totalmente falso. Y también en esto nuestra mejor literatura nos da irrefutable testimonio: desde el *Martín Fierro* hasta los monólogos de Erdosain, pasando por los feroces diálogos de *La gringa.*

El resentimiento viene de muy lejos y ha tenido complicado desarrollo. Cuando en 1873 apareció el *Martín Fierro* cobra ya forma el justificado rencor del gaucho contra la oligarquía extranjerizante de Buenos Aires, que, con razón histórica o sin ella, lo condena a la miseria, a la delincuencia y al exilio en su propia patria; corrido por el gringo agricultor, por el alambrado y por los ferrocarriles. Con parca emotividad, Hernández describió los sentimientos de aquella encrucijada histórica. En *La gringa*, Florecio Sánchez (blanco oriental, por lo tanto criollo por partida doble) pinta con crudeza el violento rencor del paisano contra el intruso enriquecido. Violento hasta la injusticia.

Lo curioso y paradojal del proceso es que ese viejo resentimiento del gaucho se coaliga dialécticamente con el resentimiento del gringo hacia las clases dominantes, y de esa aligación sale en buena medida la psicología del hombre desposeído de nuestros días. Porque hay que observar que si la oligarquía porteña fue y sigue siendo extranjerizante, lo fue y lo es en relación a aquellas jerarquías europeas que su snobismo les hacía deseables: hacia los paradigmas de la alta burguesía y la aristocracia de Francia e Inglaterra, y hasta sus culturas de *élite*. Y eso, mediante el doble conducto de la formación ideológica de nuestros próceres y del desarrollo de nuestra ganadería. Mientras que mantenían, y siguen manteniendo, un no disimulado desdén por los inmigrantes italianos o españoles que multiplicaron, hasta cierto punto, catastróficamente, la población del Plata. En las opiniones de un personaje de *Sobre Héroes y Tumbas* aparece, caricaturizada, esta sutil duplicidad, a propósito de los apellidos.

En tales condiciones, entre 1853 y 1910, se forma la nueva Argentina de la inmigración. Inmigración que va a proveer de material humano tanto a las charcas del litoral como a las fábricas de Buenos Aires, a sus prostíbulos y sus sainetes. Así surge a la existencia ese nuevo argentino de barrio, cruza de gringos pobres con criollos arrabaleros (rencorosos gauchos vueltos del exilio pampeano); un tipo inédito hasta ese momento, proclive al amor prostibulario y a la canción sentimental, extraño híbrido de exuberante napolitano y de reservado "hijo del páis", cuya máxima y más original creación fue ese tango que recuerda a la música pamperana como el compadrito al criollo viejo, pero que secretamente siente la nostalgia de su patria europea a través de los sones de su bandoneón.

Mientras ese paradojal proceso tenía lugar en las grandes ciudades de la inmigración, en los centros del interior se agravaba el abismo entre la aristocracia y la masa de peones e indios, que iban perdiendo las pocas ventajas que implicaba el régimen patriarcal. De ese modo, al secular resentimiento del indio sometido se agregó el del trabajador moderno hacia los poderosos patrones.

El proceso no termina ahí, y nuevos sectores fueron agregándose a la masa de resentidos, ya que este tipo de reacción psicológica se produce sobre todo por los cambios sociales, y pocos países en el mundo han sufrido cambios tan vertiginosos como éste en ciento cincuenta años de historia.

Cuando nuestros hombres de la Organización se vieron con el poder en las manos, trataron de llevar a la práctica las ideas que habían proclamado en la larga lucha contra Rosas. En buena medida, consistían en abrir las puertas a la inmigración y a los capitales europeos. De ese modo creían asegurar, lo antes posible, el reinado de los maravillosos principios de la Civilización. Y así, junto a los inmigrantes, alambrados y locomotoras, vinieron los capitales ingleses. La penetración incontrolada y finalmente todopoderosa corrompió nuestra vida política, compró conciencias, deformó la economía nacional para sus propios fines, arrasó la industria regional, desarrolló monstruosamente nuestra incipiente nacionalidad. Novelas como *La bolsa* y *Sin rumbo* fueron testimonio de esa crisis. Y así, mientras en otras novelas y relatos se alababa sin condiciones la cultura y la civilización europeas, es esa clase de literatura problemática se manifestó la contraparte del proceso.

Puede decirse que ese proceso no se detiene y que, en cierto modo, culmina a partir del año 1930, fecha que señala el fin del liberalismo y el comienzo de la gran crisis nacional que seguimos viviendo. Escritores como yo nos formamos espiritualmente en medio de semejante desbarajuste y nuestras ficciones revelan, de una manera o de otra, el drama del argentino de hoy.

Así como José Hernández logró expresar esos complicados sentimientos en el gaucho del 70, nadie como Enrique Santos Discépolo manifestó tan crudamente esa modalidad del hombre de la calle en nuestros días. Este existencialista del tango, en una de sus canciones máximas, nos dice que siempre "el mundo fue una porquería", que siempre ha habido "chorros, maquiavelos y estafaos, contentos y amargaos, valores y dublé"; pero con profunda amargura y desengaño, piensa que "el siglo xx es un despliegue de maldad insolente":

Vivimos revolcaos en un merengue
y en un mismo lodo todos manoseaos.

Hoy resulta que "es lo mismo ser derecho que traidor, ignorante o sabio que chorro o estafador, lo mismo un burro que un gran profesor". Se queja:

¡Qué falta de respeto,
qué atropello a la razón!
Cualquiera es un señor,
cualquiera es un ladrón.
Mezclao con Stavisky va don Bosco
y la Mignon,
don Chicho y Napoleón,
Carnera y San Martín.

¡Cuánta amargura hay en sus versos populares, cuánta tierna y malograda ilusión por los seres humanos, por la vida, por la patria convertida en un trapo sucio con lágrimas y barro!

Igual que en la vidriera irrespetuosa
de los cambalaches,
se ha mezclao la vida,
y herida por un sable sin remaches
ves llorar la Biblia contra un calefón.

Y mientras Enrique Santos Discépolo iba arrastrando por la calle Corrientes su infinito desprecio por la raza humana, y su infinito amor —esa contradictoria mezcla de desprecio y amor que sólo puede encontrarse en cierta clase de santos—, Roberto Arlt escribía sus novelas que algunos creen costumbristas, pero que en realidad son mágicas y desaforadas fantasías de un ser desgarrado por el mal metafísico. Y mientras estos dos genios del arroyo redactaban a su manera el Tratado de la Desesperación, otro artista salido de la clase alta, atormentado y auténtico, lograba romper su ropaje esteticista para expresar, a través de un mito, su ansiedad trascendente; porque tampoco Güiraldes es grande por haber descrito una realidad pintoresca y folklórica sino por haber sabido revelar, a través de un hermoso mito, la quietud existencial del argentino de hoy.

Así como las convulsiones geológicas revelan tumultuosamente los secretos de la entraña terrestre, los cataclismos sociales ponen de manifiesto lo que hay en los estratos más escondidos del ser humano; ya que la condición del hombre no se revela en abstracto sino a través de las circunstancias concretas en que la existencia tiene lugar. Y nuestra patria, sacudida desde sus mismos orígenes por los trastornos sociales, parece particularmente destinada a revelarse con una literatura de acento metafísico.

SOBRE LA PALABRA METAFÍSICA

Es quizá uno de los vocablos que más resistencia produce en el marxismo, sobre todo en ese marxismo que permaneció esclerosado en un estadio primitivo, y que se negó a aceptar ese diálogo que Ernst Fischer sostiene debe mantenerse con los que provienen de otras corrientes del pensamiento contemporáneo.

Como sostiene Merleau-Ponty, la metafísica, reducida por el kantismo al sistema de principios que la razón emplea en la construcción de la ciencia o del universo moral, aunque radicalmente negada en esa función por el positivismo, no ha dejado de sobrellevar en la literatura una suerte de vida ilegal, y en esa situación vuelven hoy los críticos a tropezarse con ella, inevitablemente. En el *Rimbaud* de Etièmble y Gauclère, por ejemplo, leemos lo siguiente: "La metafísica no es necesariamente la asociación falaz de noúmenos; Rimbaud, más vivamente que nadie, lo ha sentido así, reconstruyó una metafísica de lo concreto, ha *visto* las cosas en sí, las flores en sí."

Puede argüirse que ésta es una manera excesivamente libre de usar palabras como fenómeno y cosa en sí, y cabría discutir sobre la posibilidad que tiene el arte de alcanzar el absoluto. Aquí sólo diré que la palabra metafísica está utilizada en el mismo sentido que le da Sartre en *El ser y la nada*, vinculada a la totalidad concreta del hombre. Totalidad concreta —categoría fundamental no sólo para el existencialismo sino para el marxismo— que no parece ser alcanzable por el pensamiento puro, y que, en cambio, puede lograrse mediante la actividad total del espíritu humano, y muy especialmente por la obra de arte. Por eso no debemos asombrarnos que los filósofos, cuando realmente han querido tocar el absoluto, hayan tenido que recurrir al arte. En el caso de los existencialistas, se vieron forzados a escribir novelas y obras de teatro. Pero aun en aquellos filósofos que precedieron al existencialismo podemos advertir el mismo impulso: Platón recurre a la poesía y al mito para completar la descripción del movimiento dialéctico que nos lleva hacia las Ideas; y Hegel se sirve de mitos como el de Don Juan y el de Fausto para hacer intuible el drama de la conciencia desdichada, drama que sólo puede encontrar su sentido en el mundo concreto e histórico en que el hombre vive.

En fin, como se viene sosteniendo desde el existencialismo, el punto de vista metafísico es quizá el único que permite conciliar la totalidad concreta del hombre, y en particular la sola forma de conciliar lo psicológico con lo social. Totalidad en que el hombre queda definido por su dimensión metafísica, por ese conjunto de atributos que caracterizan a la condición humana: su ansia de absoluto, la voluntad de poder, el impulso a la rebelión, la angustia ante la soledad y la muerte. Atributos que, aunque manifestados en el hombre concreto de un tiempo y lugar, tienen la permanencia del hombre en todos los tiempos y sociedades. Motivo por el cual, aunque desaparecieran las sociedades en que surgieron y de las que en alguna forma eran sus manifestaciones, siguen conmoviéndonos y sacudiéndonos los dramas de Sófocles: única explicación valedera de aquel problema planteado por Marx pero infructuosamente resuelto, tal vez por su resistencia a admitir valores metahistóricos en el hombre.

EL DRAMA DEL EXISTENTE

A LA novela le es aplicable exactamente lo que Jaspers dice de la existencia:

> La existencia es una conquista. Su modo de ser esencial es "estar en impulso". Su ritmo propio es la crisis. Es un perpetuo movimiento de flujo y reflujo, de fracaso y victoria. Sólo puede irse al reposo por la angustia, al abandono por el desafío, a la creencia por el escándalo. La vida espiritual es una continua tempestad de antinomias, cuyos términos tan pronto se estrellan entre sí como se separan hasta la ruptura. El existente tiene que mantener los contrarios unidos en un esfuerzo de dolorosa tensión, jamás resuelta.

OSCURIDAD DE LA NOVELA

HAY varios motivos para que la novela de nuestra época sea más oscura y ofrezca más dificultades de lectura y de comprensión que la de antes:

1. El "punto de vista". No existe más aquel narrador semejante a Dios, que todo lo sabía y todo lo aclaraba. Ahora la novela se escribe desde la perspectiva de cada personaje. Y la realidad total resulta del entrecruzamiento de las diferentes versiones, no siempre coherentes ni unívocas. Tiene ambigüedad como la vida misma.

2. No hay un tiempo astronómico, que es el mismo para todos, sino diferentes tiempos interiores.

3. No ofrece aquella lógica que ofrecía la antigua novela, escrita como estaba bajo la influencia del espíritu racionalista.

4. La irrupción del subconsciente y del inconsciente, mundos oscuros por excelencia.

5. Los personajes no son referidos sino que actúan en nuestra presencia, se revelan por palabras y actos que, cuando no están acompañados de análisis o descripciones interiores, son opacos y ambiguos.

En tales condiciones, la obra queda como inconclusa y en rigor tiene acabamiento o desarrollo en el lector: la creación se prolonga en el espíritu del que lee.

REIVINDICACIÓN DEL CUERPO

Los tiempos modernos se edificaron sobre la ciencia, y no hay ciencia sino de lo general. Pero como la prescindencia de lo particular es la aniquilación de lo concreto, los tiempos modernos se edificaron aniquilando filosóficamente el cuerpo. Y si los platónicos lo excluyeron por motivos religiosos y metafísicos, la ciencia lo hizo por motivos heladamente gnoseológicos.

Entre otras catástrofes para el hombre, esta proscripción

acentuó su soledad. Porque la proscripción gnoseológica de las emociones y pasiones, la sola aceptación de la razón universal y objetiva convirtió al hombre en cosa, y las cosas no se comunican: el país donde mayor es la comunicación electrónica es también el país donde más grande es la soledad de los seres humanos.

El lenguaje (el de la vida, no el de los matemáticos), ese otro lenguaje viviente que es el arte, el amor y la amistad, son todos intentos de reunión que el yo realiza desde su isla para trascender su soledad. Y esos intentos son posibles en tanto que sujeto a sujeto, no mediante los abstractos símbolos de la ciencia, sino mediante los concretos símbolos del arte, mediante el mito y la fantasía: universales concretos. Y la dialéctica de la existencia funciona de tal modo que tanto más alcanzamos al otro cuanto más ahondamos en nuestra propia subjetividad.

No hemos querido decir que los tiempos modernos hubiesen ignorado el cuerpo, sino que le habían quitado aptitud cognoscitiva: lo habían expulsado al reino de la pura objetividad, sin advertir que al hacerlo cosificaban al hombre mismo ya que el cuerpo es el sustento concreto de su personalidad. Esta civilización, que es escisora, ha separado todo de todo: también el alma del cuerpo. Con consecuencias terribles. Considérese el amor: el cuerpo del otro es un objeto, y mientras el contacto se realice con el solo cuerpo no hay más que una forma de onanismo; únicamente mediante la relación con una integridad de cuerpo y alma el yo puede salir de sí mismo, trascender su soledad y lograr la comunión. Por eso el sexo puro es triste, ya que nos deja en la soledad inicial con el agravante del intento frustrado. Se explica así que, aunque el amor ha sido uno de los temas centrales de todas las literaturas, en la de nuestra época adquiere una perspectiva trágica y una dimensión metafísica que no tuvo antes: no se trata del amor cortés de la época caballeresca, ni del amor mundano del siglo XVIII.

La reivindicación del cuerpo por obra de las filosofías existenciales significó una revaloración de lo psicológico y de lo literario sobre lo meramente conceptual. Pues únicamente la novela puede dar cabida integral al pensamiento puro, a los sentimientos y pasiones, al sueño y al mito. En otras palabras: una auténtica antropología (metafísica y metalógica) sólo puede lograrse en la novela, siempre, claro está, que ensanchemos el género sin los sentimientos de culpa que provienen de bizantinismos literarios o de equivocadas servidumbres al espíritu de la ciencia.

CUERPO, ALMA Y LITERATURA

YA mencioné la preeminencia que Nietzsche había conferido a la vida. En esa elección se sintetiza la revolución antropocéntrica de nuestro tiempo. El centro no será ya más el objeto ni el sujeto trascendental, sino la persona concreta, con una nueva conciencia del cuerpo que la sustenta.

El vitalismo de Nietzsche culmina en la fenomenología existencial, porque supera el mero biologismo sin renunciar a la integridad concreta del ser humano. Para Heidegger, en efecto, ser hombre es ser en el mundo, y eso es posible por el cuerpo; el cuerpo es quien nos individualiza, quien nos da una perspectiva del mundo, desde el "yo y aquí". No ya el observador imparcial y ubicuo de la ciencia o de la literatura objetivista, sino este yo concreto, encarnado en un cuerpo. En ese cuerpo que me convierte en "un ser para la muerte". De donde la importancia metafísica del cuerpo.

Esta concretez de la nueva filosofía caracterizó siempre a la literatura, que nunca dejó de ser antropocéntrica, aunque muchos de sus teóricos paradójicamente lo quisieran. Esta concretez restituye al hombre su auténtica condición trágica. La existencia es trágica por su radical dualidad, por pertenecer a la vez al reino de la naturaleza y al reino del espíritu: en tanto que cuerpo somos naturaleza, y, en consecuencia, perecederos y relativos; en tanto que espíritu participamos de lo absoluto y la eternidad. El alma tironeada hacia arriba por nuestra ansia de eternidad y condenada a la muerte por su encarnación, parece ser la verdadera representante de la condición humana y la auténtica sede de nuestra infelicidad. Podríamos ser felices como animal o como espíritu puro, pero no como seres humanos.

LA NOVELA COMO EXPRESIÓN DEL ALMA

SIGUIENDO parcialmente a Nietzsche, Klages afirma con razón que el espíritu (*Geist*), expresión de lo racional y trascendente en el hombre, perturba y hasta destruye la vida creadora del alma (*Seele*), que es irreductible a lo racional, a lo impersonal y objetivo que es propio del espíritu. El alma es una fuerza que se halla en entrañable vinculación con la naturaleza viviente, creadora de símbolos y mitos, capaz de interpretar los enigmas que se presentan ante el hombre y que el espíritu a lo más no hace sino conjurar.

El espíritu destruye el mundo de los mitos por la acción mecánica de los conceptos, es la despersonalización y la muerte. El espíritu juzga mientras el alma vive. Y es el alma la única potencia del hombre capaz de solucionar los conflictos y antinomias que el espíritu tiende como una red sobre la realidad fluyente. Sólo los símbolos que inventa el alma permiten llegar a la verdad última del hombre, no los secos conceptos de la ciencia. Sólo el alma puede expresar el flujo de lo viviente, lo real-no-racional.

De ahí la trascendencia gnoseológica de la novela. Porque la novela es producto del alma, no del espíritu.

FILOSOFÍA EXISTENCIAL Y POESÍA

NO sólo nace el existencialismo en el período romántico sino que nace por los mismos motivos, y hasta su lenguaje proviene de la poesía. Y aun hoy, después de Husserl y de su superación de aquel radical subjetivismo de Kierkegaard, se advierte la estirpe romántica en un pensador como Jaspers, cuando defiende "la pasión nocturna" ante la "ley diurna", cuando sostiene que la filosofía debe renunciar a la extensión por la profundidad estrecha, o cuando se refiere a ese lenguaje cifrado con que el existente intenta invocar a sus semejantes desde su escarpada isla. Tampoco es casualidad que el tema por excelencia del filósofo existencial sea la muerte, el tema romántico por antonomasia.

SÓCRATES, BAUDELAIRE Y SARTRE

EN un ensayo escrito en 1953 creí poder establecer un vínculo entre Sartre y Sócrates, un vínculo revelador con respecto a su pensamiento y a su sentido de la existencia. Los dos son feos, los dos odian el cuerpo, los dos ansían un orden espiritual y perfecto. Experimentan repugnancia por lo blando y lo viscoso, que es la forma más groseramente humana del hombre y lo contingente, ya que ni siquiera posee esa pureza de lo mineral o lo cristalino. ¿Debe asombrar que Sócrates invente la doctrina platónica? Las creaciones en el arte y en el pensamiento son por lo general como los sueños: actos antagónicos. Y el pensamiento platónico no podía ser inventado por una raza de arcángeles incorpóreos, sino por hombres apasionados como los griegos, y en particular por un individuo que, como afirmó un extranjero en el momento de conocerlo, tenía "todos los vicios pintados en su rostro". Para ese filósofo, como más de veinte siglos después será para Sartre, la encarnación es la caída, el mal original. Y tanto porque la vista es el sentido más sutil, el más próximo al espíritu puro, como por la perversa potencia que ejerce sobre ellos, ambos filósofos darán a este sentido preeminencia filosófica. Y así, desde aquel griego enemigo de lo corporal, la filosofía se hará pura contemplación, desdeñosa de la carne y de la sangre; y habrá que esperar hasta el existencialismo para que estos atributos del hombre concreto entren en la meditación filosófica, aunque sea en la forma contradictoria de Sartre, que si conscientemente ha sido un existencialista, psicoanalíticamente fue siempre un platónico, un racionalista.

Marill-Alberes, en un lúcido ensayo, considera revelador que Sartre haya intentado probar alguna de sus ideas en la figura de Baudelaire, personalidad que lo subyuga hasta el punto de inspirarle dos de sus caracteres: Daniel, el joven Philippe. Si recorremos los escritos autobiográficos del poeta, encontraremos, aparte el propósito de escribir una novela metafísica, otros rasgos que prefiguran a Sartre: el odio a la naturaleza viviente, el culto a la infecundidad, la obsesión por un universo helado o cristalino, el platonismo patológico. En Baudelaire hay el mismo anhelo de limpieza que en muchos otros pecadores de la carne que se sienten culpables, el mismo odio diurno a lo carnal que es el exacto reverso de su debilidad nocturna. Y como la mujer es lo terrestre por excelencia, lo húmedo y sucio por antonomasia, el platonismo aparece siempre vinculado a una fobia por lo femenino (del mismo modo que el existencialismo, y en general el romanticismo, es la rebelión de los elementos femeninos de la humanidad). Como el propio Baudelaire, Roquentin siente asco ante la contingencia del mundo orgánico y ansía un universo límpido, el universo que de modo paradigmático es el de la música y el de la geometría. Añora al negro que en medio de la imperfección y la fealdad, en el infecto cuartucho de un rascacielos neoyorquino "se salva" creando una melodía que pertenecerá para siempre al orbe eterno y absoluto. Me parece igualmente digno de ser meditado que Pascal, antecesor de Sartre en su actitud jansenista, quizá turbio adolescente en busca de la pureza, encontrara un (transitorio) paraíso en las matemáticas. El Pascal maduro dirá después que somos galeotes encadenados a la misma galera, en espera de la muerte. Si a esta idea se le quita la esperanza en Dios, lo que resta se parece bastante al pensamiento de Sartre. En suma, con el sentimiento de inferioridad de los feos, Sartre concede a la mirada de los otros un poder casi sobrenatural de petrificarnos y dominarnos; porque el mundo de las cosas es el mundo del determinismo y cosificar a un hombre es arrebatarle su libertad. El ser humano resulta así una ambigua y dramática lucha entre la determinación del universo físico y la libertad de la conciencia.

De este hecho básico derivan una serie de consecuencias que manifiestan el valor ontológico de la vergüenza, el pudor, el vestido y la simulación. Siento vergüenza porque me observan y eso prueba no sólo mi propia existencia sino la existencia de otros seres como yo. La convivencia resulta de ese modo una lucha mortal entre conciencias igualmente libres, cada una de las cuales trata de petrificar a la adversaria. Al vestirnos, al disimular, al enmascararnos, tratamos de despistar al enemigo. La esclavitud alcanza su máxima y más degradante culminación en el acto sexual, donde el cuerpo desnudo está expuesto con la máxima indefensidad y en que la palabra "posesión" adquiere un sentido filosófico, más allá de lo puramente físico.

E. Mounier practica una interpretación de la psicología de Sartre, que converge hacia la que ahora estamos realizando. Perciben intensamente el ser y sufren la usurpación que el universo ejerce sobre ellos: un universo hostil, opaco, amenazante. Tal vez esta debilidad originaria, esta sensación de desamparo, los conduce a establecer el valor del compromiso, del mismo modo que la carencia de una cualidad puede empujarnos hacia una profesión que la compensa: la tartamudez de Demóstenes. Ya en Kierkegaard se insinúa esta fuga ante el cerco del matrimonio y el sacerdocio, mediante la pirueta dialéctica o la ironía. Pero en ningún otro es más notoria esta impresión que en Sartre, para el cual "el mundo está de más" y amenaza con englutir el yo; de dónde la importancia que toma en su psicoanálisis existencial la noción, a la vez física y ontológica, de lo viscoso. En lo viscoso, el otro parece ceder a mi contacto para mejor desposeerme. En suma: el universo de un paranoide.

Este furor contra el ser, ¿no traduciría el sentimiento de haber frustrado lo que Marcel llama "el lazo nupcial del hombre con la vida"? Aquí Mounier acepta en buena medida la crítica que algunos marxistas hicieron del pensamiento sartriano. Se habla mucho de compromiso, pero, ¿de dónde agarrarse?, ¿de la nada?, ¿en el absurdo total? Pienso que es precisamente esta contradicción entre su visión profunda y sombría de *La nausée* y su sentimiento jansenista de culpa lo que lo induce a la lucha social: su activismo político es una reacción de la voluntad que su ontología socava por la base.

IDEAS PURAS E IDEAS ENCARNADAS

EL más auténtico Tolstoi no es el que moraliza en su opúsculo sobre el arte sino el tortuoso y endemoniado individuo que adivinamos en las *Memorias de un loco.* El pensamiento puro de un escritor es su lado estrictamente diurno, mientras que sus ficciones participan también del monstruoso mundo de sus tinieblas. El alma, entre la carne y el espíritu, ambigua y angustiada, arrastrada a menudo por las conmociones del cuerpo y aspirando a la eternidad del espíritu puro, vacilando siempre entre lo relativo y lo absoluto, es el dominio por antonomasia de la ficción. Entre el alma y el espíritu puro hay las mismas diferencias que entre la vida y el sacrificio de la vida, que entre el pecado y la virtud; que entre lo diabólico y lo divino. Y es el abismo que separa al novelista del filósofo.

Lo que no significa que en las ficciones las ideas no puedan ni deban aparecer, ya que los seres humanos que las animan, como los de carne y hueso, no pueden no pensar, y al mismo tiempo que lloran, ríen o se conmueven, reflexionan y discuten. Pero esas ideas que así surgen no son las ideas puras del pensamiento hecho sino las impuras manifestaciones mentales del existente. Esos personajes no hablan de filosofía sino que la viven. Y entre un genuino personaje de novela y un títere que simplemente repite pensamientos puros hay la misma diferencia que entre el hombre Emanuel Kant (con sus enfermedades y vicios, con su precariedad física y sus sentimientos) y las ideas de la *Crítica de la Razón Pura*.

No hay que suponer, por otra parte, que por ser personajes de ficción, por el mero hecho de tener una existencia en el papel y ser creados por un artista, los personajes carecen de libertad y que, en consecuencia, sus ideas no pueden ser sino las ideas, pensadas antes, del propio autor. No necesariamente, en todo caso. Saliendo, como salen, de la persona integral de su creador, es natural que algunos de ellos manifiesten ideas que de una manera o de otra, perfecta o imperfectamente, han surgido alguna vez de la mente del propio artista; pero aun en esos casos esas ideas, al estar encarnadas en personajes que no son exactamente del autor, al aparecer mezcladas a otras circunstancias, otra carnadura, otras pasiones, otros excesos, ya no son aquellas que alguna vez el autor pudo haber expresado desde su propia situación; y deformadas por las nuevas presiones (presiones que en la ficción suelen ser tremendas y demoníacas) cobran un resplandor que antes no tenían, adquieren aristas o matices nuevos, logran un poder de penetración insólito. Son, en suma, ideas diferentes. Por lo demás, los seres reales son libres, y si los personajes de la ficción no son libres no son verdaderos, y la novela se convierte en un simulacro sin valor. El artista se siente frente a un personaje suyo como un espectador ineficaz frente a un ser de carne y hueso: puede ver, puede hasta *prever* el acto, pero no lo puede evitar (lo que, de paso, revela hasta qué punto un hombre puede ser libre y esa libertad no es contradictoria con la omnisciencia de Dios). Hay algo irresistible que emana de las profundidades del ser ajeno, de su propia libertad, que ni el espectador ni el autor pueden impedir. Lo curioso, lo ontológicamente digno de asombro, es que esa criatura es una prolongación del artista; y todo sucede como si una parte de su ser fuese esquizofrénicamente testigo de la otra parte, de lo que la otra parte hace o se dispone a hacer: y testigo impotente.

Así, si la vida es libertad dentro de una situación, la vida de un personaje novelístico es doblemente libre, pues permite al autor ensayar, misteriosamente, otros destinos. Es a la vez una tentativa de escapar a nuestra inevitable limitación de posibilidades, y una evasión de lo cotidiano. La diferencia que existe, por ejemplo, entre el paranoico que crea un artista y un paranoico de carne y hueso es que el escritor que lo crea puede volver de la locura, mientras que el loco queda en el manicomio. Es ingenuo creer, como creen algunos lectores, que Dostoievsky es un personaje de Dostoievsky. Claro que buena parte de él alienta en Iván, en Dimitri, en Aliosha, en Smerdiakov; pero es muy difícil que Aliosha pudiera escribir *Los Karamázov.* No hay que suponer, tampoco, que las ideas de Dimitri Karamázov son estrictamente las ideas integrales de Dostoievsky: son, en todo caso, algunas de las ideas que en el delirio del sueño, en la semivigilia o en el éxtasis o en la epilepsia se han ido organizando en la mente de su creador, mezcladas a otras ideas contrarias, teñidas de sentimientos de culpa o de rencor, unidas a deseos de suicidio o asesinato.

En virtud de esa dialéctica existencial que se despliega desde el alma del escritor encarnándose en personajes que violentamente luchan entre sí y a veces hasta dentro de sí, resulta otra profunda diferencia entre la novela y la filosofía; pues mientras un sistema de pensamiento debe construirse en forma coherente y sin ninguna contradicción, el pensamiento del novelista se da en forma tortuosa, contradictoria y ambigua: ¿Cuál es rigurosamente la concepción del mundo de Cervantes? ¿La que se da en Don Quijote o la que farfulla Sancho? ¿Cuáles son las ideas de gobierno, sobre el amor, sobre la amistad, sobre el poder y sobre la gula que verdaderamente profesa Cervantes? Podemos estar seguros de que unas y otras, y que a veces pensaba como el materialista y descreído escudero y otras veces se dejaba llevar por el idealismo descabellado de su loco, cuando no le sucedían ambos sistemas de pensamiento simultáneamente, en una lucha desgarradora y melancólica en su propio corazón; ese corazón de los grandes creadores que parecen resumir los males y las virtudes de la humanidad entera, la grandeza y la miseria del hombre en general.

Con todo, a pesar de esta polivalencia de sus personajes, al concluir de leer una gran novela tenemos la *sensación* de haber asistido a una particular visión del mundo y la existencia, que no resulta tanto de las ideas sueltas, que alternativamente hayan emitido sus personajes sino de cierta atmósfera general, de cierta tonalidad que parece teñir los objetos y figuras del universo novelístico como Kafka (por la obvia razón de que allí casi no hay personajes sino esa sola atmósfera) se da asimismo en novelas tan pobladas y diversas como *Los Karamázov* o *Luz de agosto*. Acaso habría que admitir, con Moravia, que esa "ideología" del novelista se da siempre en alusión y presentimiento, con un procedimiento que parecería consistir en crear una metafísica exacta y luego en sustraerle su parte ideológica, dejando únicamente la parte de hecho. Esto, al menos, es la impresión que se tiene con un Kafka.

LA DISONANCIA

CUANDO se comparan las últimas partituras de Mozart con las primeras comprendemos el valor de la disonancia, su poder de penetración a través de los estratos de la mera belleza para alcanzar zonas más profundas. Es lo que, en mayor escala, ha pasado con la literatura de nuestro tiempo: la disonancia de Rimbaud, en Dostoievsky, en Joyce es como dinamita que hace estallar los paisajes convencionales para poner al desnudo las verdades últimas, y muchas veces atroces, que hay en el subsuelo del hombre.

Recordemos la escena de la feria en *Madame Bovary*, que se desarrolla en tres planos simultáneos: abajo, la muchedumbre avanza empujándose con el ganado; en la plataforma, los funcionarios emiten los lugares comunes conmemorativos; arriba, en el cuarto, Rodolphe repite pomposas frases de amor. Mediante esta dialéctica de la trivialidad, gracias a la simultaneidad de mugidos, discursos y retórica amorosa, Flaubert logra un efecto devastador contra el sentimentalismo apócrifo y la vulgaridad burguesa. Paradojalmente, alcanza de ese modo un romanticismo más desesperado y desgarrador.

Claro que la disonancia no ha sido descubierta por la literatura de hoy: piénsese en el modo en que Shakespeare contrasta la bufonería con lo sublime, en los efectos que logra Cervantes entre Don Quijote y Sancho, en las despiadadas disonancias que Dante emplea en el Infierno. Pero es cierto, sin embargo, que nunca ha desempeñado un papel tan trascendente como en esta literatura áspera de nuestro tiempo.

EL RESCATE DEL MUNDO MÁGICO

EL arte, como el sueño, incursa en los territorios arcaicos de la raza humana y, por lo tanto, puede ser y está siendo el instrumento para rescatar aquella integridad perdida; aquella de que inseparablemente forman parte la realidad y la fantasía, la ciencia y la magia, la poesía y el pensamiento puro. Y no es casualidad ninguna que haya sido en los países más dominados por la razón abstracta donde los artistas hayan ido en busca del paraíso perdido: el arte de los niños o de los negros o de los polinesios, aún no triturado por la civilización tecnolátrica.

EXISTENCIALISMO Y MARXISMO

SI partimos del hombre como principio y fin, si consideramos que su actividad es lo primero, que todo lo que el hombre conoce se origina en su *praxis*, en la resistencia que el mundo presenta a sus proyectos, se advierte hasta qué punto el existencialismo y el marxismo son prójimos. Si hablamos, claro, de un existencialismo fenomenológico y dialéctico, y si interpretamos a Marx no como reduccionismo económico sino como una doctrina de la totalidad concreta de la existencia.

Quedarían, en mi opinión, ciertas diferencias: la actitud frente al mito y a los valores metahistóricos del arte, al residuo que en el marxismo hay de pensamiento ilustrado, y al planteo del problema religioso. Para el marxismo, es inadmisible la suposición de algo trascendente al hombre mismo. Pero me pregunto si así como la naturzaleza es pre-existente al ser humano, y, aunque transformada y humanizada por él, también subsistente, ¿no cabría la posibilidad de una divinidad pre-existente y subsistente? Y bien podría argumentarse que, del mismo modo que en su proceso de autocreación el hombre puede conocer la naturaleza, así también podría ir accediendo a parcelas de la divinidad. No es lógicamente imposible.

EL PROBLEMA DEL LENGUAJE PARA EL ESCRITOR

HAY, en la actualidad, escritores y teóricos para los cuales no tiene sentido una literatura que no se haga sobre las base de una revolución de la palabra. Pero todo depende del alcance que se le dé a esa aseveración.

Con las mismas y remanidas piezas Capablanca renovó el ajedrez. Con piedras idénticas a las que servían para construir basílicas románicas, la nueva cultura levantó catedrales góticas. Lo que prueba la primacía de la estructura sobre los elementos, lo que en el lenguaje serían las meras palabras.

Pero hay que cuidarse de las falacias en juego, y en particular de las que suscita el calificativo "nuevo", el que más semantemas equívocos arrastra. Porque una obra como *El Proceso* debe ser tenida *en su totalidad* como un nuevo lenguaje, no en consideración a palabras novedosas ni quiebras sintácticas o morfológicas. Ya aquel teólogo Scheleiermacher, del romanticismo alemán, consideraba como previa la consideración del conjunto. Es pues ilusorio hablar de revolución cuando sólo se opera sobre el resquebrajamiento del léxico o hasta de la sintaxis, a menos que sean valorizados por el entero campo semántico, por el aura estilística de la creación total, como en Joyce.

No es que afirme la imposibilidad de renovar la literatura con técnicas: niego que sea *la única forma*, como sostienen algunos extremistas. Kafka demuestra que no es necesario. Y muchos herederos raquíticos de Joyce demuestran que tampoco es suficiente. A ciertos retóricos de esta tendencia conviene señalarles la genial capacidad de Kafka para revalorar el vocablo más humilde, las infinitas reverberaciones teológicas y filosóficas que extrae de un cliché tribunalicio como "proceso". Sí, claro, es en ese sentido un gran renovador del lenguaje. ¿Pero no lo es acaso todo escritor trascendente? La palabra "amor" no significa lo mismo después de Proust.

LAS LETRAS Y LAS BELLAS ARTES

QUE yo sepa, escritores como Sófocles, Dante y Shakespeare no se propusieron la belleza como fin, sino el examen de nuestra condición humana, la exploración de sus abismos y límites. Es claro que en este trabajo se encuentra la belleza, pero no aquella que se logra cuando se la busca por sí misma, sino otra: grande y trágica, desgarrada por la disonancia y el horror. Todas las tragedias escritas por el hombre, desde la que cuenta el destino de Edipo hasta la que narra la muerte de Iván Ylich muestran esa belleza de los abismos.

PROSA Y POESÍA

LA prosa es lo diurno, la poesía es la noche: se alimenta de monstruos y símbolos, es el lenguaje de las tinieblas y los abismos. No hay gran novela, pues, que en última instancia no sea poesía.

ACERCA DEL ESTILO

EL estilo es el hombre, el individuo, el único: su manera de ver y sentir el universo, su manera de "pensar" la realidad, o sea esa manera de mezclar sus pensamientos a sus emociones y sentimientos, a su tipo de sensibilidad, a sus prejuicios y manías, a sus tics.

No tiene sentido, pues, referirse al estilo de Pitágoras en su teorema. El lenguaje de la ciencia pura puede y en rigor debe ser reemplazado por puros y abstractos símbolos, tan impersonales como las figuras platónicas a que hacen referencia. La ciencia es genérica y el arte es individual, y por eso hay estilo en el arte y no lo hay en la ciencia. El arte es la manera de ver el mundo de una sensibilidad intensa y curiosa, manera que es propia de cada uno de sus creadores, e intransferible.

Los retóricos consideraban el estilo como ornamento, como un lenguaje festival. Cuando en verdad es la única forma en que un artista puede decir lo que tiene que decir. Y si el resultado es insólito, no es porque el lenguaje lo sea sino porque lo es la manera que tiene ese hombre de ver el mundo.

SOBRE LA METÁFORA

LA más importante de las alhajas literarias que adornan el estilo era para Aristóteles la metáfora. El primero en advertir semejante equivocación fue Gianbattista Vico, quien afirmó que la poesía y el lenguaje son esencialmente idénticos y que la metáfora, lejos de ser un recurso "literario", constituye el cuerpo principal de todas las lenguas (Cf. *Sciencia Nuova*). En los comienzos, consistía en actos mudos o en ademanes con cuerpos que tuvieran alguna relación con las ideas o sentimientos que se querían expresar. También los jeroglíficos, los blasones y los emblemas no son otra cosa que metáforas. Y hasta la propia palabra *figura* ya es una figura. Es imposible hablar o escribir sin metáforas, y cuando parece que no lo hacemos es porque se han hecho tan familiares que se han vuelto invisibles.

EL ARTE SE HACE Y SE SIENTE CON TODO EL CUERPO

No se hace arte, ni se lo siente, con la cabeza sino con el cuerpo entero; con los sentimientos, los pavores, las angustias y hasta los sudores. Nietzsche dice que sus objeciones contra Wagner son fisiológicas; respiraba con dificultad, sus pies se rebelaban, su estómago protestaba tanto como su corazón, la circulación de la sangre y sus entrañas.

LAS NUEVAS CORRIENTES LITERARIAS

NADA es totalmente novedoso, y así como Aristóteles nace de Platón, aunque sea para (parcialmente) negarlo, así Beethoven surge de Mozart. Por otra parte, lo habitual es que un gran creador sea el resultado de todo lo que le precede, entrando a saco en las obras de arte de sus antecesores y realizando finalmente esa síntesis que caracterizará al nuevo prócer. Faulkner no es concebible sin Balzac, Dostoievsky, Proust, Thomas Wolfe, Huxley y Joyce.

Ocurre, además, que el cansancio de las escuelas y la reacción contra los que nos rodean o preceden en forma inmediata, al negarlos (siquiera parcialmente) nos hagan recurrir a los que ellos a su vez negaron, o sea a nuestros abuelos. Por eso Proust dice que muchas veces la originalidad consiste en ponerse un sombrero viejo que se saca del desván. Él mismo, sin ir más lejos, no proviene de Flaubert o Balzac o cualquier otro antecesor inmediato sino de Saint-Simon; y buscando más lejos, en el espacio, de George Elliot, de Thomas Hardy, de Ruskin. Kafka tiene sus antecedentes en alguien tan remoto como Melville.

El curso de la literatura resulta así contradictorio y su motor secreto es el contraste y la polémica. Cuando la literatura francesa estaba harta de análisis, los jóvenes como Sartre miraron con admiración a los novelistas norteamericanos, que con su descripción vital y directa de los hechos trajeron aire a una habitación donde ya casi no se podía respirar.

TENACIDAD DEL CREADOR

HAY en los auténticos artistas una fanática tenacidad, que los lleva a buscar encarnizadamente la expresión ajustada de lo que intuyen. El Faulkner que reescribió muchas veces *El ruido y el furor*, afirmó: "El artista sigue trabajando sin descanso y volviendo a recomenzar: y cada vez cree que logrará su fin, que integrará su obra. No lo logrará, como es natural; y de ahí la razón de que este estado de ánimo sea fecundo. Si alguna vez lo consiguiera, si su obra llegara a poder equipararse con la imagen que se hizo de ella, con su sueño, sólo le restaría precipitarse desde el pináculo de esa perfección definitiva, y suicidarse."

Palabras parecidas de Camus:

"Se considera con demasiada frecuencia que la obra de un creador es una serie de testimonios aislados. Se confunde entonces al artista con el literato. Un pensamiento profundo está en devenir continuo, abarca la experiencia de una vida y se amolda a ella. Del mismo modo, la creación única de un hombre se fortifica en sus aspectos sucesivos y múltiples que son las obras. Unas completan a otras, las corrigen o las repiten, y también las contradicen. Si hay algo que termine la creación no es el grito victorioso e ilusorio del artista ciego: *lo he dicho todo*, sino la muerte del creador, que cierra su experiencia y lo libra de su genio."

Y también: "La creación es la más eficaz de todas las escuelas de paciencia y lucidez. Es también el testimonio trastornador de la única dignidad del hombre: la rebelión tenaz contra su condición, la perseverancia en un esfuerzo considerado estéril. Exige un esfuerzo cotidiano, el dominio de sí mismo, la apreciación exacta de los límites de lo verdadero, la mesura y la fuerza. Constituye una ascesis. Todo eso 'para nada', para repetir y patalear. Pero quizá la gran obra de arte tiene menos importancia en sí misma que en la prueba que exige a un hombre y la ocasión que le proporciona de vencer a sus fantasmas y de acercarse un poco más a su realidad desnuda."

CONSTANTE RECREACIÓN

UNA catástrofe que sumiera a la humanidad en la miseria y la ignorancia transmutaría el sentido de todas las obras de arte, aniquilaría las riquezas de Leonardo o Goya, las sutilezas de los diálogos platónicos o de las novelas de Proust; pues nadie puede advertir en una obra más de lo que él mismo, al menos en potencia, tiene.

Pero aun sin catástrofes, la humanidad cambia constantemente y, con ella, las creaciones que el hombre ha producido: *el presente rectifica el pasado.* El Cervantes que escribió el *Quijote* no es el mismo que el Cervantes de hoy: aquél era un aventurero lleno de vida y humor; el de hoy es académico, escolar y antológico.

MÁS SOBRE LA REBELIÓN ROMÁNTICA

LA historia no se desarrolla como un proceso lineal sino como el resultado de fuerzas contrapuestas, de antinomias que se fecundan mutuamente: dentro del seno mismo de la modernidad estaban en germen las potencias que se levantarían finalmente contra el racionalismo y la máquina.

El Renacimiento italiano podría ser caracterizado provisoriamente con la siguiente serie de palabras: clasicismo, racionalidad, limitación, finitud, estática, claridad, día y esencia. Enfrente, y también con cautela y espíritu provisorio, podríamos caracterizar a los pueblos germánicos con la siguiente serie: romanticismo, irracionalidad, ilimitación, infinitud, dinámica, oscuridad, noche, existencia.

Pero estas antinomias no permanecen como tales sino que se generan y fecundan alternativamente. Ni la Italia del Renacimiento estaba desprovista de elementos góticos, ni los pueblos germánicos permanecieron ajenos al prestigio de la antigüedad helénica. La modernidad resultó, más bien, como la síntesis dialéctica de esos términos, tal como lo muestra un simple examen de la burguesía, esencia de los tiempos modernos; precozmente formada en Italia, pasa a ser decisiva en los pueblos germánicos y anglosajones; imbuida de racionalismo, tiene que desembocar, en virtud de su ilimitación y su dinamismo, en el concepto contrario. Y así, la modernidad recorre alternativamente las dos series de antinomias. Y del mismo modo como antes el naturalismo concluyó en la máquina, que es su antagónico, el vitalismo en la abstracción y el espíritu individualista en la masificación.

Italia tenía un fundamento antiguo y, como tal, su Renacimiento está caracterizado más bien por la primera serie de conceptos. Pero nunca habría nacido el capitalismo italiano con la simple resurrección de la antigüedad greco-latina. Los griegos profesaban una concepción estática y finita de la realidad, y buena parte del Renacimiento italiano sufrió su influencia pero el problema se complica con la aparición del cristianismo y de los pueblos góticos. La religión cristiana es el sincretismo de la filosofía griega con elementos dinámicos de los judíos y maniqueos; y así, desde sus mismos orígenes contendrá en su seno dos fuerzas contrapuestas; según las épocas, los pueblos y los hombres que lo adoptaron, el cristianismo desplazó su acento entre la contemplación propia de los griegos y la acción propia de los judíos, entre la esencia y la existencia. Y a veces el conflicto puede observarse hasta en un solo hombre: Pascal comienza como geómetra y muere como místico. En esta latitud espiritual acaso resida la más grande fuerza de esta religión, pues cada vez que aparece a punto de derrumbarse un nuevo impulso existencial renueva su estructura.

El espíritu dinámico y existencial del cristianismo prendió con máxima fuerza en los pueblos góticos, engendrando de esa manera la contraparte del mundo moderno, sin la cual serían incomprensibles las manifestaciones de nuestra crisis. Sin la tradición cultural de Italia, aquellos pueblos irrumpieron a la civilización con caracteres más bárbaros y modernos, y al crear un cristianismo más dinámico y judaico con el calvinismo, estuvieron en mejores condiciones de lanzarse en un impulso mercantil más arrollador.

Pero ese elemento dinámico e irracionalista que adviene con los pueblos góticos será el que a la larga provocará la rebelión franca de los románticos contra la misma sociedad que los albergó.

EL CREADOR FRENTE A LA CRÍTICA

DADA la condición del hombre, el artista tiene infinitos motivos de sufrimiento: a veces porque no lo comprenden o porque desata la furia de los mediocres y resentidos. En cualquier caso, su dolor es muy grande, porque sólo una piel gruesa podría defenderlo adecuadamente, y lo característico de un artista es la extremada finura de su piel. Y en parte por eso, en parte porque vive luchando contra la resistencia que suscita, en parte porque va adquiriendo la mentalidad del perseguido, termina por volverse susceptible en grado enfermizo: *genus irritabile vatum.*

Hay una sola defensa contra esta calamidad y es la de releer, de tanto en tanto, los diarios de los ecritores, su correspondencia, sus memorias, la historia de la literatura. Y cuando constatamos que a nosotros, pobres mortales, nos pasa lo que les pasó a grandes como Goethe y Proust ¿de qué podemos quejarnos? En sus conversaciones con Eckermann, cuenta Goethe: "Apenas apareció mi *Werther*, lo censuraron tanto que si hubiese borrado todos los pasajes criticados no habría quedado una sola línea."

Jean Paulhan señala, a propósito de la crítica del siglo pasado: "Hubo críticos estetas y sabios, moralistas e inmoralistas, voluptuosos y fríos, pesados y volubles, solemnes y desvergonzados, profesores y hombres de mundo. Pero todos tenían un rasgo común: estaban equivocados". Y agrega más adelante: "No hay un solo gran poeta, un solo gran pintor, un solo gran escritor del siglo XIX que no haya sido condenado en sus comienzos, y a menudo en su apogeo, por los mejores críticos."

¿Cuáles son las causas profundas de esta reiterada y al parecer invencible proclividad? Son varias, que operan a veces separadamente y, a veces, en catastrófica combinación. Un caso típico es Sainte-Beuve: propenso a la condición de enano, frustrado escritor de poemas y relatos, enérgicamente rechazado por las mujeres, denunció la ausencia de genio en Balzac, negó a Baudelaire y sostuvo que nadie le haría creer que ese payaso de Stendhal pudiese escribir una novela valiosa. Podría pensarse, con candor, que errores tan monstruosos en un hombre que es considerado como uno de los más grandes críticos inducirían a la meditación y a la cautela en el futuro. Grave equivocación. Los seres humanos no responden a los principios de la lógica, y esa sensata conclusión que se infiere a partir de aquellos errores de nada sirven en lo venidero. El resentimiento, como los celos, como la envidia, como toda pasión negativa y sedienta, es inextinguible y en todo caso nada tiene que ver con la lógica.

Si pudieron pasar semejantes calamidades con Sainte-Beuve ¿qué puede esperarse de críticos de menos estatura? Con el desarrollo del periodismo, con la inmensa cantidad de diarios que deben hacer eso que se denomina crítica literaria, multitud de escritores de tercer orden tienen la gran oportunidad de juzgar a escritores de primer orden, explicándoles los defectos de su obra y enunciando los principios en que debe basarse una novela o un poema ejemplar. Como esos paradojales menesterosos que para ganarse algunos pesos escriben un libro titulado *Cómo hacerse millonario*.

En estos casos no siempre opera el resentimiento, ya que puede darse el caso de jóvenes inéditos que se ganan la vida en esa columna; puede ser la inexperiencia, la miopía, la falta de sensibilidad y de talento; ya que sólo lo semejante conoce a lo semejante; y ya que si es fácil para un genio como Schumann reconocer generosamente el genio de Brahms, no lo es para un muchacho que mientras estudia el clarinete escribe en un periódico sobre música. La inexperiencia puede unirse a la miopía y a la mediocridad, que no necesariamente excluyen al resentimiento, sino que a veces son sus causas: con grandes dificultades un hombre es capaz de intuir la profundidad, la belleza o la magnitud de algo que no es capaz de sentir, siquiera en germen, en su propio espíritu.

También opera el peligroso método de juzgar lo nuevo de acuerdo con lo viejo. Pero como todo creador es de alguna manera novedoso, escapa en una medida o en otra a los cánones consagrados. Y cuando aparece ¿cómo juzgarlo? Todos sabemos ahora que Balzac era un genio ¿pero cómo podemos saber que lo es un Fontana que aparece en Rosario? ¿Un hombre que, para colmo, sus convecinos pueden ver y palpar, un individuo que come del mismo modo que el resto de los mortales, que se enferma, que es un poco ridículo y que debe ganarse la vida como un pobre diablo? Y como, por añadidura, el que niega parece siempre más talentoso que el que admira ¿quiénes y cuántos no caerán en la tentación de decir NO con pedagógica ironía, dando de paso a su rencor el honorable aspecto de un imparcial juicio axiológico?

Para honor de la raza, no obstante, frente a esos individuos aparecen los que han sabido descubrir al creador donde surgía: Balzac señalando a Stendhal o, más conmovedoramente, Schumann afirmando que con Brahms había nacido el músico del siglo. Y como el artista conoce el secreto y el misterio de la creación, aunque nos admiran por la grandeza de la actitud, episodios como el de Balzac o el de Schumann no nos sorprenden. Sorprende, en cambio, que de pronto un lector desconocido que nunca ha creado nada, o un anónimo o modesto periodista sea capaz de advertir la presencia del creador. Se inclina uno a pensar que en esos seres existe latentemente el genio creador que por un motivo o por otro no han podido o no han sabido convertir en acto; seres que, en todo caso, se entregan con candidez y entusiasmo a la magia y a la fascinación del poeta: esa candidez y ese entusiasmo sin los cuales no es posible ni la creación de la obra de arte ni su recreación en el lector o espectador. Es por ellos y para ellos que el artista trabaja y sufre, los seres a quienes de verdad va destinado ese mensaje críptico, ese mensaje que les llevará una luz portentosa y extraña y que les permitirá examinar sus propios abismos, una luz que a la vez les llevará consuelo y desasosiego, certeza y vacilación, enfrentamiento a su propio drama y a la vez infinita liberación de no saberse solo.

En virtud de esa maravillosa confraternidad es que el arte existe. Porque de otro modo los artistas se callarían para siempre o morirían. Simplemente morirían.

EL CORAJE DEL CREADOR

CUANDO salió *Du côté de chez Swann*, el crítico Henri Ghéon escribió que Proust se había encarnizado "à faire ce qui est proprement le contraire de l'oeuvre d'art, c'est-à-dire l'inventaire de ses sensations, le recensement de ses connaissances, et à dresser le tableau succesif, jamais d'ensemble, jamais entier, de la movilité des paysages et des âmes". Agregando que asombra la yuxtaposición sin vínculo de los primeros sueños de niño con esa aventura de Swann que el señor Proust no debió saber sino después de su infancia, pero que él intercala en el relato "sans raison palpable". Etcétera.

CRÍTICAS A LOS CRÍTICOS

SARTRE: "La mayoría de los críticos son hombres que no han tenido suerte y que en el momento en que estaban en los lindes de la desesperación encontraron un modesto y tranquilo trabajo de guardián de cementerios."

"Para el crítico, es un placer que los autores contemporáneos le concedan la gracia de morirse: sus libros, demasiado crudos, demasiado vivos, demasiado apremiantes, pasan al otro lado, afectan cada vez menos y se hacen cada vez más hermosos; después de una breve permanencia en el purgatorio, van a poblar el cielo inteligible de los nuevos valores. Bergotte, Swann, Siegfried, Bella y M. Teste: he aquí adquisiciones recientes. Se está esperando a Nathanaël y Ménalque. En cuanto a los escritores que se obstinan en vivir, se les pide únicamente que no se muevan mucho y que en adelante procuren parecerse a los muertos que han de ver. Valéry no se las areglaba mal, al publicar desde hacía veinticinco años libros póstumos."

Flaubert: "No sirve para nada sino para molestar a los autores y para embrutecer al público. Se hace crítica cuando no se puede hacer arte, del mismo modo que se trabaja de espía cuando no se puede ser soldado."

Pavese: "Todo crítico es, propiamente hablando, una mujer en la edad crítica: rencoroso y *refoulè.*"

Baudelaire: "Saint-Marc Girardin dijo algo que quedará: *Seamos mediocres.* Aproximemos esa frase a la de Robespierre: *Los que no creen en la inmortalidad de su ser se hacen justicia.* Las palabras de [este crítico] Saint-Marc Girardin implican un inmenso odio contra lo sublime."

Gaëtan Picon: "El juicio inmediato tiende a veces a desvalorizar lo contemporáneo: la sumisión con respecto a los modelos antiguos, el temor de perder, sus riesgos, se juntan como en Sainte-Beuve a una invencible repugnancia ante la proximidad del genio. Juzgar en lo vivo es cosa difícil: pero a cada instante se juzga en lo vivo."

Van Wick Brooks: "En vista de los errores que vive cometiendo, un crítico debería usar el silicio como su traje cotidiano."

Henry Miller: "Todo lo que los críticos digan de una obra de arte, aun en los mejores ensayos, aun en los más sólidos, convincentes y plausibles, aun en los escritos con amor (cosa que rara vez ocurre), no es nada comparado con la mecánica real, con la verdadera génesis de la obra de arte."

REGLAS PARA LA CREACIÓN

"DÍGANLE a Arnold Bennet que todas las reglas de construcción sólo siguen siendo válidas para las novelas que son copias de otras. Un libro que no sea copia de otros libros tiene su construcción propia; y lo que él, por ser un viejo imitador, llama faltas yo llamo características." (D. H. Lawrence)

INCONVENIENTES DEL GENIO

HENRY JAMES escribe que llegó un momento en que no pudo leer más ni a Tolstoi ni a Dostoievsky, por su carencia de buen gusto y de un seguro nivel estético, a causa de la intensidad misma de sus creaciones. ¡Qué me dice!

EL ESTADO CONTRA EL ARTISTA

CONFUCIO no apreciaba el arte sino por los servicios que podía prestar al Estado. Platón no admite más que los poemas en honor de los próceres y dioses, y en las *Leyes* prohíbe todo arte que no sea útil a la República.

Pero el fenómeno se agudiza en las grandes revoluciones, lo que en muchos sentidos es explicable: esos rebeldes son siempre peligrosos para el Estado. No hay, pues, que asombrarse de los extremos a que se llegó en Rusia. Ya Rousseau denunciaba al carácter corrupto del arte. Luego, Saint-Just, en la Fiesta de la Razón exige que la Razón sea personificada por una persona virtuosa antes que bella. La Revolución arrasa con el arte y no produce ningún escritor de importancia, guillotinando al único poeta de su tiempo, mientras en los escenarios se ponen obras que se denominan *El esposo republicano* o *Republicana y Virgen.* Los saint-simonianos exigen después un arte "socialmente útil", y los progresistas del mundo entero exigen que la creación artística esté al servicio del desarrollo y del mejoramiento de la humanidad, llegando a proclamar los nihilistas rusos que un par de botas es más útil que todo Shakespeare.

NOSOTROS, LOS BÁRBAROS

HEREDEROS por una parte de la cultura latina y francesa, pero descendientes de un país como España, que, como toda la periferia "bárbara" de Europa, no tuvo un Renacimiento en el sentido estricto, racionalista y científico, criados en un continente nuevo y desmesurado, estamos mejor dotados para sentir y comprender a escritores como Dostoievsky, Tolstoi, Kierkegaard, Strindberg, Nietzsche y Kafka. De modo que si no sirviésemos para otra cosa, por lo menos serviríamos para facilitarles la cabal conciencia de ciertos hechos europeos a ciertos europeos.

Por lo demás, los bárbaros desempeñaron siempre un papel importante frente a las culturas excesivamente refinadas. Así sucedió cuando los pueblos germánicos, al inyectarse con carretas y cuernos de caza en el decadente imperio romano, echaron la simiente del gótico y sus catedrales.

La cultura es siempre dialéctica (no tanto en el sentido hegeliano como en el sentido kierkegaardiano), y en ese juego de fuerzas y contrafuerzas la América Latina tiene la importancia que siempre tuvo, en la formación de una nueva cultura, el primitivismo, la ingenuidad, el paisaje inédito y desmedido, el aporte de una nueva sangre y de una nueva perspectiva, hasta el propio resentimiento de los pueblos postergados o subestimados.

MÁS SOBRE ARTE POPULAR

POR razones políticas se habla ahora muy a menudo de arte popular como de un arte sano, como fuente de toda verdad y frescura. Las cosas no son tan sencillas.

El nacionalismo, al surgir en Europa, valorizó y finalmente sobreestimó el arte popular. Esa manifestación que en otro tiempo había sido menospreciada, de pronto se convirtió en objeto de culto entre los artistas, considerándosela más auténtica, menos "artificial", más cercana a las calidades profundas del hombre. La frase sobre Anteo y su famosa recuperación energética se convirtió en inevitable lugar común.

Ahora bien, es cierto que cuando el arte se hace excesivamente cortesano, cuando el gusto de agradar a las personas refinadas va limando sus asperezas y quitándole su sangre, el descenso hacia el pueblo lo hace reencontrarse con valores más primarios y por lo tanto más fuertes, sobre todo en aquellas comunidades rurales que en Europa habían permanecido al margen de la vorágine industrial.

Pero aun en aquellos tiempos, a menudo se tomaban como expresiones genuinamente populares danzas o cuentos que no eran otra cosa que la transformación de un arte aristocrático: los villancicos eran restos fósiles de pastorales cortesanas, los muebles eran simplificaciones o combinaciones de estilos, desde el Renacimiento hasta Luis XV; y aquí nuestras danzas populares no eran sino una descendencia bastarda de los bailes aristocráticos españoles. En virtud de ese mecanismo que hace a las clases populares imitar las costumbres y los gustos de las clases privilegiadas (hoy mismo, toda vendedora de tienda se extasía ante la foto de una boda de la alta sociedad e imita el peinado de una princesa de moda), el pueblo adopta, simplificándolas y transformándolas, expresiones y formas del arte culto.

Porque si en el caso de comunidades realmente primitivas y aisladas de la civilización puede hablarse de un arte popular "incontaminado", tal como sucede en los pueblos salvajes de la Polinesia o del África antes de que los hombres blancos llegaran con sus inventos, no tiene ningún sentido y no pasa de ser una doctrina demagógica la de adjudicar esas cualidades al arte de una masa cuyo gusto es provocado en una serie de centrales periodísticas y radiotelefónicas.

RAÍCES DE LA FICCIÓN

En esta vida única y limitada que tenemos, en cada instante nos vemos obligados a elegir un solo camino entre infinitos que se nos presentan. Elegir esa posibilidad es abandonar las otras a la nada. Esa posibilidad que ni siquiera sabemos hasta dónde nos ha de llevar, pues nuestra visión del futuro es precaria y sentimos el mismo desasosiego que el navegante que debe pasar entre escollos peligrosísimos en medio de la niebla o la oscuridad. Apenas si sabemos con certeza que más allá está la inevitable muerte, lo que precisamente hace más angustiosa nuestra elección: pues hace de ella algo único e irreversible. Elección, pues, que parece inventada por el demonio para atormentarnos, portada como presumimos de una casi segura frustración, el camino de la desilusión o el fracaso. Y, para mayor escarnio, por causa de nuestra propia voluntad.

En la ficción ensayamos otros caminos, lanzando al mundo esos personajes que parecen ser de carne y hueso, pero que apenas pertenecen al universo de los fantasmas. Entes que realizan por nosotros, y de algún modo *en* nosotros, destinos que la única vida nos vedó. La novela, concreta pero irreal, es la forma que el hombre ha inventado para escapar a ese acorralamiento. Forma casi tan precaria como el sueño, pero al menos más voluntariosa.

Ésta es una de las raíces de la ficción.

La otra sea, acaso, esa ansia de eternidad que tiene la criatura humana; otra ansia incompatible con su finitud. La búsqueda del tiempo perdido, el rescate de alguna infancia o alguna pasión, la petrificación de un éxtasis. Otro simulacro, en suma.

UNA DE LAS PARADOJAS DE LA FICCIÓN

Es característico de una buena novela que nos arrastre a su mundo, que nos sumerjamos en él, que nos aislemos hasta el punto de olvidar la realidad. ¡Y sin embargo es una revelación sobre esa misma realidad que nos rodea!

HENRY MILLER

"El escribir, como la vida misma, es un viaje de descubrimiento. La aventura es de carácter metafísico: es una manera de aproximación indirecta a la vida, de adquisición de una visión total del universo, no parcial."

"A menudo escribo cosas que no entiendo, aunque seguro de que luego me parecerán claras y significativas. Tengo fe en el hombre que está escribiendo, en el hombre que soy yo, en el escritor. Y no creo en las palabras aun cuando las junte el hombre más diestro: creo en el lenguaje, que es algo que está más allá de las palabras, algo de lo cual las palabras no ofrecen más que una inadecuada ilusión. Las palabras no existen separadamente sino en los cerebros de los eruditos, filólogos, etimólogos, etc. Las palabras divorciadas del lenguaje son cosa muerta y no entregan secretos."

"Como el principio prístino del universo, como el inconmovible Absoluto —el Uno, el Todo—, así el creador, o sea el artista, se expresa a partir y a través de la imperfección. Ésta es la tela de la vida, el verdadero signo de lo viviente."

"El arte nada enseña, como no sea la significación de la vida. La gran obra ha de ser inevitablemente oscura, excepto para un puñado de hombres, para aquellos que, como el mismo autor, están iniciados en los misterios."

"Una vez que el arte esté realmente aceptado, dejará de ser. Constituye sólo un sustituto, un lenguaje simbólico que reemplaza algo que ha de ser captado directamente. Pero para que esto sea posible, el hombre ha de transformarse en un ser cabalmente religioso y no simplemente en un creyente, en un primer motor, en un dios en acto. Inevitablemente llegará a serlo. Y de todos los rodeos a lo largo de este sendero, el arte es el más glorioso, el más fecundo, el más instructivo."

LITERATURA Y PROSTITUCIÓN

¿CÓMO vivir? De cualquier modo que la creación no sea manoseada, bastardeada, abaratada: poniendo un tallercito mecánico, trabajando de empleado en un banco, vendiendo baratijas en la calle, asaltando un banco.

REFRACCIÓN DE LA OBRA EN EL PÚBLICO

NUESTRA conciencia no es clara ni coherente, y uno mismo no "sabe" cómo son los propios sentimientos. Proyectados hacia el mundo, se refractan al entrar en un medio de diferente densidad y naturaleza, y al volver sobre nosotros, reflejados por otro espíritu, aumenta nuestra confusión. Algo parecido pasa con los personajes de una novela, que no son los mismos ni permanecen idénticos a sí mismos al ser sentidos por un lector. De modo que, en alguna medida, cada lectura rehace una obra literaria y cada generación o cada época le da un nuevo sentido.

Por supuesto, no toda novela produce en el lector la misma cantidad ni calidad de perturbación.

¿UNA LITERATURA DE LA ESPERANZA?

El hombre no sólo está hecho de desesperanza sino, y fundamentalmente, de fe y esperanza; no sólo de muerte sino también de ansias de vida; tampoco únicamente de soledad, sino de comunión y amor. La obra de Saint-Exupéry muestra cómo la literatura puede ser profunda y no obstante estar impregnada de cálidos sentimientos positivos. Dijo Nietzsche que un pesimista es un idealista resentido. Si modificamos levemente el aforismo, diciendo que es un idealista desilusionado, de ahí podríamos pasar a sostener que es un hombre que no termina nunca de desilusionarse; ya que hay en la condición psicológica del idealista una especie de inagotable candor. Y así como la desilusión nace de la ilusión, la desesperanza surge de la esperanza; pero una y otra, desilusión y desesperanza, son curiosamente, el signo de la profunda y generosa fe en el hombre.

Los escépticos, los que nunca creen en nada, tampoco llegan a ser pesimistas. Por eso la literatura de hoy, la más poderosa y genuina, jamás desciende al mero escepticismo, como tan a menudo lo hacía en los encantadores tiempos de Anatole France: incurre en la trágica desesperación que sigue al derrumbe de una fe y que casi invariablemente es el anuncio de otra. El hombre necesita un orden, una estructura sólida en la que hacer pie. Creyó hallarla en el orden científico, pero finalmente comprendió que era ajeno a nuestras más hondas necesidades espirituales: el derrumbe de la civilización tecnolátrica, cualesquiera sean sus causas materiales, reveló que ese orden científico, lejos de ofrecernos una base segura, nos convertía en esclavos de una implacable maquinaria; cuando creímos haber conquistado el mundo, descubrimos que estábamos a punto de ser aplastados por él. En vastos movimientos, los hombres se precipitaron entonces hacia nuevas religiones laicas o políticas, cuando no se reintegraron al ámbito de las antiguas y auténticas religiones.

Y en tales condiciones surgió la nueva literatura. Primero, como una ansiosa investigación del caos, como un examen de la condición del hombre en medio del desbarajuste. Luego, y a través de esa indagación, como un intento más o menos oscuro de ofrecernos también ese orden que necesitamos, un rumbo en medio de la tempestad.

Para eso fue menester echar abajo los falsos valores de una sociedad regida por fetiches o por farisaicos y pequeños dioses burgueses.

Pero el orbe novelístico es el mundo de los deseos, de los sueños e ilusiones, de la realidad que no fue o no pudo ser: siempre un poco la inversa del mundo cotidiano; siempre un poco la tendencia a realizar lo contrario de lo que nos rodea. De ese modo, en el siglo del orden burgués proclamó el desorden y la anarquía, y héroes como Raskólnikov pusieron bombas debajo de los puentes y vías de comunicación de la hipócrita sociedad en que sufrían. Pero ahora, cuando las guerras totales y los totalitarismos nos han traído el caos universal, la novelística busca inconscientemente una nueva tierra de esperanza, una luz en medio de las tinieblas, una tierra firme en medio de la gigantesca inundación. Se ha destruido demasiado. Y cuando lo real es la destrucción lo novelesco no puede ser sino la construcción de alguna nueva fe.

Si esta tesis es correcta, no es arriesgado suponer que en los años próximos la novela que más resonancia tenga en el corazón de los hombres sea la que, de alguna manera, sea capaz de suscitar una nueva pero genuina esperanza.

IDEA FIJA EN EL CREADOR

El tema no se debe elegir: hay que dejar que el tema lo elija a uno. No se debe escribir si esa obsesión no acosa, persigue y presiona desde las más misteriosas regiones del ser. A veces, durante años.

LOS SUEÑOS VUELVEN

En alguna parte Gide dijo que a un artista no sólo hay que valorarlo por lo que es capaz de crear sino también por lo que es capaz de sacrificar. Por otra parte, esas oscuras miasmas que suben desde nuestros subterráneos tarde o temprano se presentarán de nuevo y no es difícil que consigan un trabajo más adecuado para sus aptitudes: Goethe confiesa que todos sus planes inconclusos y abandonados para tantas tragedias finalmente le sirvieron en *Ifigenia*.

INFLUENCIAS INSTRUMENTALES

Hay artistas que ejercen influencia sobre otros que son más grandes: es el caso de John dos Passos, que influyó sobre Faulkner; o Rimsky, cuyas sonoridades las reconocemos de pronto en la *Consagración de la Primavera*. Liberados de esa tremenda presión que sufren los grandes creadores desde su interior para expresar ciertas cosas, parecen poder dedicarse con preferencia a procedimientos y técnicas.

EL ESTILO DE FLAUBERT

"HE releído la leyenda de *Saint Julien l'Hospitalier* y esta vez he quedado decepcionado. Desde luego, hay frases que por sí solas parecen resucitar toda la Edad Media, pero lo más a menudo el estilo, el famoso estilo de Flaubert, se interpone como una pantalla entre el asunto y la emoción que este asunto debe suscitar; una pantalla magnífica, de acuerdo, una pantalla erizada de joyas... Se gustaría más, al precio de algunos defectos, un estilo que diese la impresión de respirar como un ser viviente, con esa libertad que tenía Flaubert cuando no se vigilaba, cuando olvidaba su corona de flores de naranjo."

REIVINDICACIÓN DEL MITO

CUANDO todavía el hombre era una integridad y no un patético montón de miembros arrancados, la poesía y el pensamiento constituían una sola manifestación de su espíritu. Como dice Jaspers, desde la magia de las palabras rituales hasta la representación de los destinos humanos, desde las invocaciones a los dioses hasta sus plegarias, la filosofía impregnaba la expresión entera del ser humano. Y la primera filosofía, la primigenia indagación del cosmos, aquella aurora del conocimiento que se revela en los presocráticos, no era sino una bella y honda manifestación de la actividad poética.

La rebelión romántica constituyó una reaproximación al mito. El genio protorromántico de Vico ya vio claro lo que todavía mucho tiempo después otros pensadores no alcanzaron a comprender. Y es en buena medida por obra de su pensamiento que se inicia esa revaloración que Freud-Jung harán culminar en nuestros días con la paradójica cooperación de Lévy-Bruhl; porque en la obra de este etnólogo, a medida que se desarrolla, se verifica la vanidad de cualquier intento de racionalización total del hombre. Comenzada para demostrar el paso de la mentalidad "primitiva" a la conciencia "positiva", concluirá varias décadas más tarde con la dramática confesión de su derrota, cuando el sabio debe por fin reconocer que no hay tal mentalidad "primitiva" o "prelógica", como estado inferior del hombre, sino una coexistencia de los dos planos, en cualquier época y cultura. Observamos que esa misma mentalidad "positiva" (el adjetivo me produce mucha gracia, no lo puedo evitar) no es sólo la que inyectó en Occidente la idea de que nuestra cultura técnica es superior a las otras sino, y por las mismas razones y motivaciones, la idea de que el espíritu del hombre, por su mayor propensión a la lógica, es superior al espíritu de la mujer.

Para el pensamiento ilustrado, el hombre progresaba en la medida en que se alejaba del estadio mito-poético. Thomas Lowe Peacock lo dijo en 1820 de modo grotescamente ilustre: un poeta en nuestro tiempo es un semibárbaro en una comunidad civilizada. La excavación de Lévy-Bruhl reveló hasta qué punto esta pretensión es equivocada, además de estrafalaria y arrogante. Expulsado del pensamiento puro, el mito se refugia en la literatura, que así resulta una profanación pero también una reivindicación del mito. En un plano dialécticamente superior, ya que permite el ingreso del pensamiento racional al lado del pensamiento mágico.

DES-MITIFICAR Y DES-MISTIFICAR

FREUD fue un genio poderoso pero bifronte, pues por un lado hay en él esa intuición de la inconsciencia que lo emparentaba con los románticos, y del otro lado aquella formación positivista de la medicina de su tiempo. Se observa así en él una tendencia a reducir cualquier fenómeno cultural al conocimiento científico, un poco como también sucede con los marxistas. Un magnífico pensador como Kosik, en su *Dialéctica de lo concreto* dice: "Esta capacidad de trascender la situación, en la que se funda la posibilidad de pasar de la opinión a la ciencia, de la *doxa* a la *episteme*, del mito a la verdad, etc." en que se advierte cómo hasta en un marxista de alto vuelo hay un resto de aquel pensamiento ilustrado que valoriza "la luz" sobre "las tinieblas", y que pone al mito en la región de la equivocación o el atraso. Y resulta doblemente curioso que el mismo filósofo que da valor absoluto al arte no piense que el mito, como el sueño, pertenece al mismo universo del arte, y ofrece las mismas características de la "totalidad concreta" que para el marxismo, como para el existencialismo, es la forma del absoluto. Ya Vico vio el parentesco del mito con la poesía, y es evidente que el espíritu del artista sigue siendo mitopoyético. El mito no es teórico, y hay que concordar con Cassirer en que desafía todas las categorías del pensamiento racional. Su "lógica" es inconmensurable con nuestras concepciones de verdad científica. Pero la filosofía racionalista nunca ha querido admitir semejante bifurcación, y siempre ha estado convencida de que las creaciones de la función mitopoyética *deben tener un sentido inteligible*. Y el mito lo oculta tras todo género de imágenes fantásticas y de símbolos, la tarea del filósofo ha de ser la de desenmascararlo. Momento en que el vocablo desmitificar se identifica con desmistificar.

Pienso que con el mito, el arte y el sueño, por el contrario, toca el fondo de ciertos elementos permanentes de su condición, elementos que si no son metahistóricos son al menos parahistóricos, están al costado del proceso socioeconómico, se refieren a problemas de la especie que perviven a través de las épocas y culturas, y constituyen su única expresión, sembrando la inquietud o el pavor. Expresión irreductible a cualquier otra y, sobre todo, a las razones claras y netas de Descartes.

EL MAL Y LA LITERATURA

SIENDO el demonio el señor de la tierra, el dilema del bien y del mal es el del cuerpo y el espíritu. Dilema que el racionalismo no fue capaz de superar: simplemente lo aniquiló, suprimiendo uno de sus términos. Con resultados perversamente dramáticos, pues las fuerzas oscuras son invencibles, y si son reprimidas por un lado, reaparecen por otro, con el resentimiento de los perseguidos. *Le Neveu de Rameau* parecería ser el ejemplo más significativo, pues ese personaje no es otro que el Mr. Hyde del progresista Diderot. El individuo demoníaco y pintoresco que habitaba los sótanos del correcto cientificista insurge en esas páginas con la violenta autenticidad con que siempre insurgen los sujetos que alborotan los subsuelos del ser. Con el mismo derecho que Flaubert (pero también con la misma innecesaria ingenuidad), Diderot podría haber confesado: "*Le neveu de Rameau c'est moi*". Esta novela resulta así una de las más curiosas manifestaciones de la dialéctica existencial entre la luz y las tinieblas. Y el contraste casi didáctico entre el pensador progresista y el hombre endemoniado sólo volverá a dar de modo tan extremo en otro filósofo francés, en el narrador y pensador Jean-Paul Sartre. No hay casualidades en el dominio del alma, y si en la Francia tradicionalmente cartesiana se ha dado la más grande acumulación de endemoniados, desde el mariscal Gilles de Rais hasta Rimbaud, desde el marqués de Sade hasta Jean Genet, no es a pesar de esa propensión racionalista sino por ella misma. Las fuerzas de las tinieblas son invencibles, y si se las proscribe, como lo intentó el Iluminismo, se revuelven y estallan perversamente, en lugar de contribuir a la salud del hombre, como siempre sucedió en las culturas de los pueblos llamados primitivos.

Goethe primero y Marx después, entre muchos, admiraron esta singular novela, aunque seguramente la admiración que hoy profesamos no tenga idénticos fundamentos. No tiene importancia. Por el contrario, una de las características de las grandes obras de ficción es que son ambiguas y polivalentes, admitiendo diversas y hasta contradictorias interpretaciones. Es legítimo ponderar en ellas la sátira de una sociedad burguesa; pero, como invariablemente sucede con los creadores geniales, a través de la problemática social se advierten los espectros y los enigmas de un drama más profundo: los de la condición humana, los interrogantes —por lo general pesimistas— sobre el sentido de la existencia. Es en esta instancia que la obra de Diderot anuncia la literatura de nuestro tiempo.

La tarea central de la novelística de hoy es la indagación del hombre, lo que equivale a decir que es la indagación del Mal. El hombre real existe desde la caída. No existe sin el Demonio: Dios no basta.

La literatura no puede pretender la verdad total sobre esta criatura, pues, sin ese censo del Infierno. Blake decía que

Milton, como todos los poetas, estaba en el bando de los demonios sin saberlo. Comentando este pensamiento, Georges Bataille sostiene que la religión de la poesía no puede tener más poder que el Diablo, que es la pura esencia de la poesía; aunque lo quisiera, no puede edificar, y sólo es verdadera cuando es rebelde. El pecado y la condenación inspiraron a Milton, al que el paraíso le negó impulso creador. La poesía de Blake empalidecía lejos de lo imposible. Y de Dante nos aburre lo que no sea el Infierno.

Tal vez en esta trágica condición resida el drama del poeta en las revoluciones sociales, en la construcción de una nueva sociedad.

LAS INVENCIBLES FURIAS

WILLIAM BARRET describe el drama de las Euménides cuando Orestes, obedeciendo la orden de Apolo, la deidad que el Iluminismo lanzara al mundo, mata a su madre. El conflicto estalla entre este dios luminoso y las Furias, las antiguas diosas matriarcales de la tierra. La tragedia registra el momento de la historia griega en que estas deidades femeninas deben ceder su lugar a los nuevos dioses del Olimpo. Pero el hombre de la calle todavía recordaba, e inconscientemente temía, a esas diosas nocturnas, y se angustiaba ante esa elección que se le imponía. Esta angustia está vinculada al desenvolvimiento de la conciencia griega, que en cierto modo es la conciencia moderna, en la medida en que avanza por el camino de la civilización. Pero ya el verbo "avanzar" es un oscuro sofisma de esta prepotente cultura, que considera bueno y positivo lo que sirve a sus fines, y malo o falso lo que se le opone. Hoy podemos medir el tremendo tributo que la conciencia moderna ha debido pagar por esta proscripción de las potencias arcaicas del inconsciente. En la obra de Esquilo hay una especie de compromiso por la intervención de esa ambigua deidad que es Atenea, esa feminista. Las Furias, desconsoladas, amenazaron a la tierra con toda clase de calamidades. Atenea reconoce o debe reconocer —sabiduría del poeta— que son más antiguas y más sabias que ella misma. Casi no debemos dudar: en Esquilo se da por primera vez esa prevención del artista contra la ciencia. En lo más profundo de su alma siente que deben ser reverenciadas, y que, aunque constituyen el lado sombrío de la existencia, sin ellas el ser humano no puede ser lo que debe ser.

El resultado de esa desatinada proscripción lo tenemos a la vista. En el mejor de los casos, como violenta pero sana y justificada rebelión de las fuerzas y sectores oprimidos: los hombres de color y los muchachos en los Estados Unidos, las mujeres en el mundo entero, los adolescentes, los artistas. En el peor de los casos, la neurosis y la angustia, las enfermedades psicosomáticas, la histeria colectiva, la violencia y las drogas. En el país más tecnificado del planeta sucede (y quizá únicamente ahí podía pasar) la serie de crímenes sádico-sexuales del clan Manson.

En cuanto a Oriente, el ser humano estaba hasta hace poco protegido por las grandes tradiciones místicas y religiosas que aseguraban su armonía con el Cosmos. La invasión brutal y desenfrenada de la técnica occidental ha producido estragos que ya empiezan a advertirse en el Japón: el suicidio de artistas y escritores es revelador. Creyeron ser muy astutos reemplazando milenarias tradiciones por la producción masiva de aparatos electrónicos.

ARQUETIPOS

UNO de los errores de cierta novelística consistió en creer en los arquetipos, como personajes cerrados, únicos, duros. No hay tal arquetipo. Todo lo que está en un hombre puede estar en los demás: abierto o críptico, desarrollado o en germen, nítido o difuso. Por eso las grandes novelas apasionan a todos, y de alguna manera todos se sienten representados en sus obsesiones más profundas. Todos nacemos, sufrimos, amamos, tenemos esperanzas y desilusiones, todos nos frustramos y nos morimos. Yo no soy viajante de comercio y no vivo en los Estados Unidos, pero *La muerte de un viajante* me conmueve. ¿Por qué? Nada que sea totalmente ajeno a nuestro espíritu nos conmueve, por nada que sea inconmensurable con nosotros podemos tener compasión; como la palabra lo indica es una pasión compartida, es un movimiento en común. Si Hamlet nos interesa es porque en alguna medida, en algún momento, en alguna pasión hemos sido Hamlet. También Quijotes y Sanchos, también hemos sentido de una manera o de otra el deseo de matar a una vieja usurera; y si no lo hemos sentido o si creemos no haberlo sentido nunca, ya se encarga ese despiadado novelista de hacernos sentir esa pasión.

Nuestra condición es común a todos los hombres. Es como una infinita, compleja y sutil trama que pasa a través de todos nosotros: hombres y mujeres, pobres y ricos, reyes y esclavos. Esa condición en algunos asume estados más eminentes que en otros, en ciertos casos la envidia pasa a primer plano y la generosidad desaparece, en otros el odio suplanta al amor. En otro momento, en el mismo personaje (o en otro) se invierten los papeles. Y a eso se debe, por lo demás, que el novelista pueda crear personajes tan dispares: le basta acentuar tal o cual matiz de su propia condición, poner en primer plano tal o cual emoción o pasión: los celos o la indiferencia, la perversidad o la compasión, el amor o el odio, el rencor o la comprensión.

Y así, también se explica que el escritor pueda dar un cuadro de la condición general del hombre escribiendo en particular sobre las relaciones entre un negro con un niño, sobre la clase alta del barrio Saint-Germain o sobre un burócrata de Praga.

EL AIRE DE FAMILIA

RECONOCERÍAMOS un cuadro de Gauguin o una novela de Proust aunque no estuvieran firmados, del mismo modo (y por parecidos motivos) que un conocedor sabe si realmente un vino es de Burdeos: su tono, su sabor es rigurosa consecuencia de la tierra en que se produjo, de la singular y única mezcla de sales y atributos físicos que lo peculiarizan. Y los personajes de un novelista profundo son singularmente suyos, tienen ese aire de familia a causa de que se forman, nacen y viven en esa tierra espiritual de su creador: tierra caracterizada por determinadas ideas, obsesiones y vivencias. Que son de él y únicamente de él.

SOBRE PELIGROS DEL ESTRUCTURALISMO

CASI todo es estructura. Como solemnemente afirmó un profesor: con la sola excepción de lo que es amorfo, todo presenta una estructura. Que es más o menos como decir que con la sola excepción de los animales invertebrados todos son vertebrados. Dejando de lado esta pomposa pelotudez, en efecto, casi nada hay que no deba ser considerado como una estructura, desde un cefalópodo hasta *La pasión según San Mateo*. También es evidente que en tales objetos no se puede hablar de un elemento si no es en relación con el todo, como ya lo advirtió Aristóteles cuando dijo que "el todo es anterior a las partes". En este sentido, fue una indispensable reacción contra el atomismo que calamitosamente se había propagado desde la física hasta cualquier cosa. Bastaría pensar en ese delirio de los médicos especialistas. ¿Cómo puede haber cardiólogos? Un inversor puede enfermarse del corazón por la baja del peso: lo que se necesita son mundólogos. También fue sana, al menos mientras no se exageró, su reacción contra las explicaciones del positivismo, aquellas maravillas de Taine. No, no es eso lo que a uno lo embroma. Lo que irrita es el terrorismo de sus dogmáticos, unido al clásico snobismo de todo lo que llega desde París, junto a peinados y perfumes: ontología y Christian Dior. Las modas en las artes menores, en los vestidos de mujeres, son legítimas; en las artes mayores y en el pensamiento son abominables. Por eso, de puras ganas de seguir la contra al último grito es que sistemáticamente me negué a hablar de estructuralismo mientras hacía furor. Ahora, cuando se empieza a reconocer de nuevo que el tiempo existe, que las estructuras sociales y finalmente cambiadas por la presión de los hechos externos, y que las obras de arte no son ajenas al sujeto que las hizo y al mundo en que surgieron, ahora se puede reconocer sus serios y definitivos valores. Me irritaba esa obligación de bailar al son de la sincronía nada más que porque las librerías de París desbordaban de estructuralismo. Al fin de cuentas, hacia 1935 cualquier muchacho despierto como yo sabía lo que era una estructura, ya que es imposible estudiar relatividad o teoría de los quanta sin cálculo diferencial absoluto, teoría de matrices y otras bases teóricas del estructuralismo. Por otra parte, cuando hacia 1944 frecuentaba el Instituto de Filología de Buenos Aires, se estudiaba y se traducía allí la obra de Saussure, cuando muchos de los que ahora nos amonestan con sus ideas no habían nacido.

Como siempre, el mayor mal a una teoría lo infieren sus dogmáticos, que la caricaturizan y fosilizan. Claro, la característica de los movimientos nuevos es la verdad absoluta. Hasta que dejan de ser nuevos. Todo sistema filosófico pretende clausurar las disputas sobre el objeto y el sujeto, hasta que pasa a ser un capítulo en la historia de la filosofía. Precisamente, el mayor error de los extremistas de este movimiento es la pretensión de abolir la historia, lo que me parece un poco exagerado cuando miramos cómo pasa todo. Enarbolan la sincronía como un garrote y al que murmura antigüedades como ésta, zas!, en la cabeza. Claro, ya lo sabemos, fue una buena reacción contra los atomistas, los positivistas y los dogmáticos de la historia. Pero se les fue la mano. Miren con la lengua: es una realidad en perpetuo cambio, como toda realidad cultural. Y tarde o temprano —oh, diacronía de las ideas!— hay que aceptar el modesto pero demoledor hecho de la transformación de las estructuras aunque sea como una sucesión de estados diacrónicos. Hubo que admitir que en todo estado de una lengua está germinalmente el cambio que conducirá a una nueva estructura. Bueno, calma, no es tan deshonroso.

En suma, que el estructuralismo es válido hasta el punto en que deja de serlo. Lo que es bastante. Más allá de ese punto empiezan los peligros. El primero, el de desconocer la importancia de la historia. El segundo, el de fortificar una concepción operacionalista y hasta cibernética del espíritu, contribuyendo así a agravar la alienación provocada por la técnica en el hombre de nuestro tiempo. Ciertos análisis rigurosamente válidos para los entes matemáticos son *relativamente* válidos para los hombres. Este tipo extremo de estructuralismo, como con justeza observa Lefebvre, corre el riesgo de hipostasiar, de dar valor real a meras abstracciones conceptuales. Claro, estos extremos se dieron sobre todo en los Estados Unidos, según su habitual fetichismo científico, del mismo modo que produjo los extremos más absurdos del positivismo lógico. En cuanto a ciertos representantes de la nueva crítica, por reaccionar contra aquellas "explicaciones" positivistas de la obra de arte por cosas como el clima y otros determinismos semejantes, cometieron el inverso error de un inmanentismo que de pronto parecía convertir una novela en un objeto platónico, fuera del tiempo y del espacio, ajeno a las vicisitudes del hombre y la sociedad. Y notables exámenes como los que hace Auerbach en su *Mimesis*, donde Julien Sorel no se concibe sino en las condiciones sociales, políticas y hasta económicas de la Restauración, eran invalidadas de un solo golpe. Ya sé que no todos los estructuralistas cayeron en semejante ridiculez, pero es cierto que sus dogmáticos más frenéticos lo hicieron. Incurriendo además en los excesos a los que los llevaba —y aún los lleva— su tendencia operacionalista, a esa especie de *ars combinatoria*, con una metodología que a los que alguna vez hicimos matemáticas nos resulta muy familiar: las permutaciones y transformaciones, el álgebra topológica y la teoría de los juegos. Excelente metodología y quizá la sola valedera para los entes del universo matemático, pero inadecuada para los hombres.

Luego, en fin, esa sobrevaloración de la lengua, hasta llegar, en sus casos más demenciales, a eliminar cualquier función referencial, quedando nada más que una especie de autocontemplación del discurso. Corriéndose el peligro de cortar todo vínculo con la vida. No estoy sosteniendo, ni por un instante, la tontería de dar preminencia al "fondo" sobre la "forma". Por el contrario, opino que en todo gran arte no pueden separarse esos dos términos, puesto que el fondo se da inevitablemente formado y la forma es inevitablemente contenido. Si el fondo fuera decisivo, no se podría comprender cómo con un "argumento" trivial de su tiempo Shakespeare construía un gran drama. Es precisamente este principio el que me hace poner en cuarentena una literatura que dé preminencia a la forma. Del mismo modo, aunque por razón inversa, que me pongo en guardia contra esas famosas "literaturas de contenido", como en el caso del realismo socialista y otras basuras edificantes.

El existencialismo y el marxismo parten del hombre concreto (el único que realmente existe), lo que es tanto como decir que parten de la subjetividad. Esta concepción da, por otra parte, la real dignidad al hombre, pues es la única que no lo considera como un objeto. Por el contrario, los meros materialistas consideran al hombre como un *resultado*, el resultado de un conjunto de determinaciones, como si fuera un átomo o un proyectil, entes regidos por la sola y ciega causalidad. Pero la subjetividad no es rigurosa y definitivamente individual, ya que en el *cogito* el hombre no sólo se descubre a sí mismo sino a los otros hombres. Contrariamente al pensamiento cartesiano y kantiano, tanto para el existencialismo como para el marxismo, el hombre se capta a sí mismo en el Otro; el descubrimiento de la intimidad de uno es el descubrimiento de la otra intimidad, del que convive con uno, sufre y habla con uno, comulga con uno a través del lenguaje, de los gestos, del odio o del amor, del arte o del sentimiento religioso. Esta intersubjetividad, esta trama entre los sujetos que constituye la existencia humana, se realiza a cada instante mediante esa *praxis* que es la realidad del hombre y su historia. No hay, pues, tal abismo entre el sujeto y el objeto. Y esos materialistas que sobreestiman al objeto hasta el punto de considerarlo como "la" realidad, se equivocan tanto como los que creen que la realidad es únicamente la del sujeto. Ya en Hegel el hombre es un ser histórico que va haciéndose a sí mismo, realizando lo universal a través de lo individual. Supongamos de nuevo a Shakespeare: ¿cuál es la "realidad" que se revela en sus obras? ¿Una realidad puramente externa? Hay ese tipo de economicista que no ve en sus dramas "más que" la representación artística de la acumulación primitiva del capital. En esta concepción se presupone que esa verdad puede ser alcanzada por otro camino, digamos por la sociología, pero que en el caso de Shakespeare es presentada "artísticamente". El mismo fondo con otra forma. Lo que es un disparate. El arte es un lenguaje propio y creador, crea *otras* realidades, y las expresa de modo irreductible a otro lenguaje. Hay quienes desean ver explicados los sueños con razones claras y definidas, en lugar de los oscuros símbolos con que se manifiestan. Pero en rigor el sueño expresa una realidad en la única forma en que puede hacerse. Más, todavía: esa expresión es su realidad. Lo mismo pasa con una sinfonía o una novela. ¿Qué quiso decir Kafka en *El Proceso*? Lo que está en su libro. El arte, como el sueño y el mito, es una ontofanía, y se acabó. Pero, de cualquier manera, *es una revelación de algo* y no un fin en sí mismo. Lo que no quiere decir que sea la expresión o revelación mecánica, el mero reflejo de una realidad objetiva. Esta idea del reflejo es uno de los lugares comunes del materialismo vulgar y del positivismo. Madame de Staël llegó a hablar de un "arte republicano", así como nos hablaban de un "arte burgués" esos stalinistas que obedecían las órdenes del Coronel General Zhdanov. Hay, evidentemente, una relación entre el arte y la sociedad, y quizá hasta se pueda hablar de una homología. En una sociedad como la de hoy, por ejemplo, en que el hombre está angustiado por la cosificación, es más intensa la nostalgia de la individualidad perdida, de la intimidad avasallada, del yo violado: ¿cómo no esperarse una mayor tendencia a la expresión lírica? Pero esta actitud no es un reflejo sino un acto de rebeldía y negación, un acto creativo con que el hombre enriquece la realidad preexistente. El hombre produce al hombre, dijo Marx en una frase tan distante del famoso reflejo como un puntapié de un espejo. Y en esto, como en tanta otra manifestación del pensamiento actual, hay que rendir homenaje al todopoderoso Hegel, y a su idea de la autocreación del hombre. Y este hombre que se crea a sí mismo lo hace a través de todo lo que el espíritu subjetivo es capaz de hacer: desde una máquina hasta la poesía. Cualquier obra de arte, también el lenguaje, muestra un doble y dialéctico carácter: es a la vez expresión de la realidad y una realidad en sí misma. Una realidad que no existe fuera de esa obra ni antes de ella. El lenguaje resulta así una mediación y un fin en sí mismo.

Los reflexólogos lo consideran como una copia del mundo externo, y el encadenamiento de los signos verbales reproduciría el encadenamiento de los hechos, quedando así reducida la subjetividad al papel del espejo. En el otro polo, creo que ciertos estructuralistas extremos cometen el error opuesto: la lengua en ella misma y para ella misma. Fue legítimo y provechoso poner metodológicamente el significado entre paréntesis para estudiar la lengua como sistema, inmanentemente. Pero ha sido pernicioso olvidarse de que esa actitud era —o debería haber sido— provisoria. Olvidando finalmente los significados y el proceso humano que desde fuera termina por romper siempre los sistemas.

Creo que hay algún vínculo entre esa doctrina extrema y la sobrevaloración de la lengua en algunos escritores de nuestros días.

NO HAY ARTE ESTRICTAMENTE INDIVIDUAL

El artista compone su obra con elementos de su propia conciencia, pero esos elementos aluden a hechos del mundo exterior en que el artista vive, son versiones o traducciones más o menos deformes de esos hechos externos. Siendo lo exterior al hombre no sólo el mundo material de las cosas, sino la sociedad en que existe, el arte es por antonomasia social y comunitario. Y aunque producto de un individuo, y de un individuo marcadamente singular como es todo creador, no puede ser sin embargo *estrictamente* individual. Pues vivir es con-vivir. De manera tal que el artista concluye cabalmente su ciclo cuando mediante su obra se reintegra a la comunidad, cuando produce y siente la con-moción de los que viven con él. El arte, como el amor y la amistad, no existe *en* el hombre sino *entre* hombres.

TEMA Y REALIZACIÓN

El artista parte de una oscura intuición global, pero no "sabe" lo que realmente quería hasta que la obra está concluida, y a veces ni siquiera entonces. En la medida en que parte de una intuición básica puede afirmarse que el tema precede a la expresión; pero al ir avanzando, la forma va prestando al asunto sutiles, misteriosos, ricos e inesperados matices; momentos en que puede afirmarse que la expresión crea al tema. Hasta que concluida la obra el tema y la expresión constituyen una sola e indivisible unidad. De este modo no tiene sentido pretender separar —como a menudo se lo pretende— el contenido de la forma, o sostener —como tan a menudo se lo sostiene— que hay temas grandes y temas pequeños, asuntos sublimes y asuntos triviales. Son los artistas y sus realizaciones los que son grandes o pequeños, sublimes o triviales. La misma historia de un modesto cuentista italiano del Renacimiento sirvió para que Shakespeare escribiera uno de sus más hermosos dramas.

En la obra de arte lo formal es ya contenido. De donde el fracaso de todo intento de trasladar al cine una obra esencialmente literaria como la de Faulkner: de *Santuario* no quedó más que el folletín que *aparentemente* es el asunto de la novela; puesto que el *real contenido* es la novela misma, con todas las riquezas, resplandores e implicaciones que cada una de las frases y yuxtaposiciones de palabras va dando al mero conjunto de episodios melodramáticos que pudiera enunciarse en uno de esos siniestros resúmenes del *Reader's Digest.*

¿QUÉ ES UN CREADOR?

Es un hombre que en algo "perfectamente" conocido encuentra aspectos desconocidos. Pero, sobre todo, es un exagerado.

LA NOVELA, RESCATE DE LA UNIDAD PRIMIGENIA

El creciente proceso de racionalización que he examinado a lo largo de este libro fue al propio tiempo el proceso de la abstracción y disgregación del hombre. Hasta llegar a esta sociedad tecnolátrica en que catastróficamente no resta nada de la unidad originaria.

Contra esta deshumanización es natural que el artista, cuya creación tiene que ver radicalmente con el hombre concreto, se haya rebelado; también es explicable que su rebeldía se haya ejercido contra el pensamiento abstracto que es el responsable de la deshumanización. Pero en su furia ha sido muchas veces incapaz de comprender que si era bueno rechazar ese pensamiento abstracto, como una amenaza al mundo emotivo y a la propia vida, en cambio no podía rechazarse el pensamiento concreto. Más aún: no comprendía que al repudiar las ideas *in toto* y al relegarlas al universo de la filosofía, estaba el artista contribuyendo precisamente a consolidar la calamidad contra la que se levantaba: la escisión del mundo. Y que si la salvación del hombre integral la tiene que hacer el arte ha de ser reivindicando el derecho (que siempre tuvo) a las vastas riquezas del pensamiento poético.

Por lo demás, ningún gran escritor ha intentado nunca semejante suicidio, y ni siquiera podría intentarlo; pues vive en un mundo no sólo de sensaciones sino de valores éticos, gnoseológicos y metafísicos que, de una manera o de otra, impregnan al creador y a su obra.

El hombre no es una cosa ni un animal, ni siquiera un hombre solitario. Y sus problemas no son los de una piedra o los de un pájaro (hambre, refugio material, alimento); sus problemas y tribulaciones nacen, en primer término, de su condición societaria, de ese sistema en que vive, en medio de situaciones familiares, clase social, deseos de riqueza o de poder, resentimientos por su situación de interdependencia. ¿Cómo una novela, aun sin llegar a los dilemas últimos de la condición humana, puede ser verdaderamente seria sin plantear y discutir esos problemas? Y esos planteos, esas discusiones ¿qué otra cosa son sino un conjunto de ideas, sueltas o sistemáticas, incoherentes o integrantes de una filosofía? El drama de Romeo y Julieta, como alguien ha dicho, no es una simple cuestión de sexo, ni siquiera una cuestión de meros sentimientos, pues se produce por una configuración de índole social y política. Tampoco tendría sentido *Rojo y Negro* sin el contexto social de rencor y ambición en que se mueve Julien Sorel, y sin las ideas de Rousseau que hay debajo de la narrativa de Stendhal: ideas preexistentes a su propia ficción, que de una manera o de otra inspiran o marcan sus novelas, que en todo caso le dan su consistencia filosófica y su significación humana. Tampoco podría concebirse el vasto poema dantesco sin la filosofía tomista que rige sus ideas y hasta su mundo de pasiones, puesto que las pasiones también son desatadas o al menos deformadas por las ideas. Ni sería posible imaginar un Proust que ignorase a Bergson y que no estuviese empapado de todas las ideas de su tiempo sobre la música y la pintura, sobre el amor y la muerte, sobre la paz y la guerra. (Cf., sobre todo este conjunto de reflexiones, *The Liberal Imagination*, de Lionel Trilling.)

Por otra parte, a medida que nuestra civilización se fue haciendo de más en más problemática, no existe casi un ser humano que no viva preocupado por ideas políticas o sociales, por ideologías dominantes que, para colmo, han desatado violentísimas pasiones, como el nazismo. ¿Y quién sino el novelista o el dramaturgo podrá y deberá dar cuenta de esas pasiones que inextricablemente vienen mezcladas a ideas? ¿Y en virtud de qué demencial manía habría de extraer (mortalmente) de esa mezcla las ideas para dejar las solas pasiones? Habiendo oído que las ideas son propias de la filosofía o de la ciencia, muchos escritores han intentado sin embargo proscribirlas de sus ficciones, practicando así una especie de curioso irrealismo; ya que bien o mal los hombres no dejan nunca de pensar, y no se ve por qué razón deberían dejar de hacerlo desde el momento en que se convierten en personajes de novela. Y bastaría imaginarse por un instante lo que quedaría de la obra de Proust, de Joyce, de Malraux o de Tolstoi si quitásemos las ideas para advertir la magnitud del disparate.

El escritor consciente (de los inconscientes no me ocupo en este libro) es un *ser integral* que actúa con la plenitud de sus facultades emotivas e intelectuales para dar testimonio de la realidad humana, que también es inseparablemente emotiva e intelectual; pues si la ciencia debe prescindir del sujeto para dar la simple descripción del objeto, el arte no puede prescindir de ninguno de los dos términos. Y aunque lo específico del arte es lo emocional, no debemos olvidar que el hombre también siente emociones intelectuales. Ninguno de esos grandes creadores que venimos citando se limitan a transmitirnos emociones sensoriales: nos transmiten un complejísimo universo dramático en que los sentimientos y las pasiones aparecen unidos a elevados valores espirituales, a ideas o principios morales o religiosos, a una formación filosófica o estética. Esta visión total del universo ha sido posible merced a la compleja humanidad de esos creadores, así como una larga vida no sólo contemplativa sino activa, no sólo de lecturas y de meditación sino también de vivencias, de nociones adquiridas en vidas y muertes; motivos todos por los cuales una novela exige para ser escrita no únicamente talento sino larga y profunda experiencia.

Estos creadores, por lo general, unen a una aguda hiperestesia una inteligencia superior, con la característica, además, de que son incapaces de aislar sus pensamientos de sus sensaciones, tal como sucede con los filósofos puros: ya sea por la enorme y paralela intensidad de sus sensaciones y emociones, ya sea porque sienten como nadie la *esencial unidad del mundo*. Y sus personajes no son nunca meros efectos de sus ideas sino más bien la manifestación o los portavoces carnales de esas ideas. Tanto más profundos y trascendentales cuanto mayor es su carga mental, pues la existencia es tanto más existencia cuanto mayor es el ahondamiento que en ella hacemos mediante la conciencia.

Una novela profunda no puede no ser metafísica, pues debajo de los problemas familiares, económicos, sociales y políticos en que los hombres se debaten están, siempre, los problemas últimos de la existencia: la angustia, el deseo de poder, la perplejidad y el temor ante la muerte, el anhelo de absoluto y de eternidad, la rebeldía ante el absurdo de la existencia.

Por otra parte, esos dilemas últimas no necesariamente aparecen en la ficción en la forma abstracta que asumen en los tratados filosóficos, sino a través de las pasiones: el problema del Bien y del Mal es mostrado mediante el asesinato de una usurera por un estudiante pobre. Pero un ser humano no se limita —como parecen pensar los objetivistas— a matar mediante el movimiento de un hierro en el extremo de un brazo, y ni siquiera esos hechos físicos van acompañados con puras sensaciones. El hombre es además un ser pensante y bien puede ser que sus pensamientos no sean los primarios y balbuceantes de un criminal cuasi imbécil, sino el sistema de ideas de un criminal que con su acto parecería querer ilustrar alguna retorcida y asombrosa doctrina filosófica, tal como por ejemplo sucede en la novela de Dostoievsky. Y así ocurre que en muchas novelas no sólo estamos en presencia de una filosofía implícita en el carácter y atmósfera general, tal como la obra de Kafka, sino que hasta pueden desarrollarse discusiones estrictamente filosóficas, como en el diálogo del Gran Inquisidor.

Pero no hay siquiera necesidad que el artista profese conscientemente un sistema de ideas, pues su inmersión en una cultura hace de su obra una viviente representación de las ideas dominantes o rebeldes, de los restos contradictorios de viejas ideologías en bancarrota o de profundas religiones: ni Hawthorne, ni Melville ni Faulkner son explicables sin la impronta de la religión protestante y del pensamiento bíblico, aunque ellos no hayan sido creyentes o militantes en el sentido estricto, y es precisamente esa impronta en sus espíritus lo que da magnitud y trascendencia a sus novelas, que por eso sobrepasan la jerarquía de la simple narración con sus hondos y desgarradores dilemas acerca del bien y del mal, de la fatalidad y el libre albedrío que esas viejas religiones plantean y que recobran su fulgurante grandeza a través de las criaturas novelescas de esos artistas; dilemas que alcanzan esa trágica grandeza porque, endemoniados como son, como lo son todos los creadores gigantescos, lanzan al mundo personajes inficionados por el Mal, adquiriendo el Demonio en esas creaciones toda la fuerza viviente y carnal que en los tratados de teología sólo es descrita en teoría y en abstracción.

En toda gran novela, en toda gran tragedia, hay una cosmovisión inmanente. Así, Camus, con razón, puede afirmar que los novelistas como Balzac, Sade, Melville, Stendhal, Dostoievsky, Proust, Malraux y Kafka son novelistas filósofos. En cualquiera de esos creadores capitales hay una *Weltanschauung*, aunque más justo sería decir una "visión del mundo", una intuición del mundo y de la existencia del hombre; pues a la inversa del pensador puro, que nos ofrece en sus tratados un esqueleto meramente conceptual de la realidad, el poeta nos da una imagen total, una imagen que difiere tanto de ese cuerpo conceptual como un ser viviente de su solo cerebro. En esas poderosas novelas no se demuestra nada, como en cambio hacen los filósofos o cientistas: se muestra una realidad. Pero no una realidad cualquiera sino una elegida y estilizada por el artista, y elegida y estilizada según su visión del mundo, de modo que su obra es de alguna manera un mensaje, *significa algo*, es una forma que el artista tiene de comunicarnos una verdad sobre el cielo y el infierno, la verdad que él advierte y sufre. No nos da una prueba, ni demuestra una tesis, ni hace propaganda por un partido o una iglesia: nos ofrece *una significación*. Significación que es casi todo lo contrario de la tesis, pues en esas novelas el artista efectúa algo que es casi diametralmente opuesto a lo que esos propagandistas ejecutan en sus detestables productos. Pues esas grandes novelas no están destinadas a moralizar ni a edificar, no tienen como fin adormecer a la criatura humana y tranquilizarla en el seno de una iglesia o de un partido; por el contrario, son poemas destinados a despertar al hombre, a sacudirlo de entre la algodonosa maraña de los lugares comunes y las conveniencias están más bien inspiradas por el Demonio que por la sacristía o el buró político.

Ésta es época de crisis pero también de enjuiciamiento y síntesis. Frente a la honda escisión del hombre, el arte aparece como el instrumento que rescatará la unidad perdida. Fue ésta la actitud general del romanticismo, que reivindicó lo fáustico contra lo apolíneo. No andaban equivocados los hombres de aquel círculo de Jena que buscaban la identificación de los contrarios, esos Schlegel, Novalis, Hölderlin y Schelling que pretendían unificar la filosofía con el arte y con la religión; esos hombres que en medio del fetichismo científico intuyeron que era menester rescatar la unidad primigenia.

Y para esa síntesis nada hay más adecuado en las actividades del espíritu humano que el arte, pues en él se conjugan todas sus facultades, reino intermedio como es entre el sueño y la realidad, entre lo inconsciente y lo consciente, entre la sensibilidad y la inteligencia. El artista, en ese primer movimiento que se sume en las profundidades tenebrosas de su ser, se entrega a las potencias de la magia y del sueño, recorriendo para atrás y para dentro los territorios que retrotraen al hombre hacia la infancia y hacia las regiones inmemoriales de la raza, allí donde dominan los instintos básicos de la vida y de la muerte, donde el sexo y el incesto, la paternidad y el parricidio, mueven sus fantasmas. Es allí donde el artista encuentra los grandes temas de sus dramas. Luego, a diferencia del sueño, que angustiosamente se ve obligado a permanecer en ese territorio ambiguo y monstruoso, el arte retorna hacia el mundo luminoso del que se alejó, movido por una fuerza ahora de ex-presión; momento en que aquellos materiales de las tinieblas son elaborados con todas las facultades del creador, ya plenamente despierto y lúcido, no ya hombre arcaico o mágico sino hombre de hoy, habitante de un universo comunal, lector de libros, receptor de ideas hechas, individuo con prejuicios ideológicos y con posición social y política. Es el momento en que el parricida Dostoievsky cederá, parcial y ambiguamente, lugar al cristiano Dostoievsky, al pensador que mezclará a esos monstruos nocturnos que salen de su interior las ideas teológicas o políticas que atormentan su cabeza; diálogos y pensamientos que sin embargo no tendrán nunca esa pureza cristalina que ofrecen en los tratados de teólogos o filósofos, ya que vienen promovidos y deformados por aquellas potencias oscuras, porque están en boca de esos personajes que surgen de aquellas regiones irracionales, cuyas pasiones tienen la fuerza feroz e irreductible de las pesadillas. Fuerzas que no sólo empujan sino que deforman y tienden esas ideas que enuncian sus personajes y que nunca, así, pueden identificarse con las ideas abstractas que leemos en un tratado de ética o de teología. Porque nunca será lo mismo decir en uno de esos tratados que "el hombre tiene derecho a matar" que oírlo en boca de un estudiante fanático que está con un hierro en la mano, dominado por el odio y el resentimiento; porque ese hierro, esa actitud, ese rostro enloquecido, esa pasión malsana, ese fulgor demoníaco en los ojos, será lo que diferenciará para siempre aquella mera proposición teórica de esta tremenda manifestación concreta.

EL TENEBROSO UNIVERSO DE LAS FICCIONES

EL DRAMA filosófico de un hombre como Sartre es que al repudiar su propia novelística se inclina a esa inautenticidad que toda su vida ha denunciado y que muy notoriamente denuncia el protagonista de su novela más reveladora.

Desde los órficos se mantuvo una corriente que veía en la vida terrenal nada más que pena y tristeza: únicamente por purificación y renunciamiento era posible evadirse de la prisión corporal para ascender hacia los astros. El desdén de los órficos es heredado por Sócrates (aunque fuera por turbias motivaciones), y de él, a través de Platón, migrará hacia el cristianismo. De entre los pensadores cristianos es Pascal el que más sugestivamente prepara el camino de Sartre: "bastará" que se le quite a Dios. La educación de Sartre fue hecha bajo la influencia de la rama protestante de su familia. Su concepto del Bien y del Mal lo conduce, una vez eliminado Dios, a una suerte de protestantismo ateo, a un áspero moralismo. Sin que desaparezca debajo su otro yo, el oscuro inconsciente que tiene fatalmente que estallar en sus ficciones: si arriba habla en favor de la cultura y la alfabetización, como corresponde a un intelectual progresista, abajo se ríe despiadadamente del autodidacto; si en el piso honorable defiende el espíritu comunitario, en el tenebroso subsuelo es un feroz individualista que descree de la comunicación; si arriba se manifiesta, en fin, por el paraíso terrestre del colectivismo, abajo murmura que la tierra es (será siempre, porque no es cosa de régimen social sino de condición metafísica) un infierno. En muchos sentidos, es un poseso, cuya visión demoníaca se asemeja a la de aquel Verjovensky de *Los endemoniados* que, por dialéctica ironía, es hijo de un profesor progresista.

Es inevitable el recuerdo de otra dualidad dramática, la que Tolstoi manifestó en sus últimos años, cuando casi al mismo tiempo que su obra moralizadora *¿Qué es el arte?* escribía uno de sus más diabólicos relatos: *Memorias de un loco*. Es precisamente examinando esta contradición vital como Chestov da a luz uno de sus ensayos clarividentes, fundamentando la tesis de que la verdad de los novelistas no debe ser buscada en sus autobiografías ni en sus ensayos, sino en sus ficciones. Tesis que si en buena medida es correcta y de (pavorosa) fertilidad, comete la injusticia de considerar como mistificador a un hombre que lucha contra sus demonios. También esa lucha es parte de la verdad. Porque la conciencia de los valores morales, el deseo de superar las fuerzas destructivas del inconsciente, la aspiración a participar de la vida comunitaria, también forman parte de la dialéctica condición del hombre. Se comprende que Chestov denuncie la furia hipócrita con que Tolstoi lanzó aquella bazofia moralizadora contra los artistas que (como él mismo) expresaban la verdad deshonrosa de sus subterráneos. No se comprendería que se aplicase el mismo reproche a un hombre que, como Sartre, no procede por hipocresía sino por sentimientos complejos pero nunca deshonrosos; pero sí es legítimo reprocharle su intento de repudiar la literatura en nombre de la política.

LA LÓGICA Y LOS GRIEGOS

EL GRIEGO armonioso es un invento del siglo XVIII, y forma parte de ese arsenal de los lugares comunes al que también pertenecen la flema de los británicos y el espíritu de medida de los franceses. Las mortíferas y angustiosas tragedias griegas bastarían para aniquilar esta tontería, si no tuviéramos pruebas más filosóficas, y particularmente la invención del platonismo. Cada uno invoca lo que no tiene, y si Sócrates invoca la Razón es porque precisamente la necesita como defensa contra las temibles potencias de su inconsciente. Y si Platón la instituye luego como instrumento de la Verdad es porque desconfía de sus propias emociones de poeta. Somos imperfectos, nuestro cuerpo es falible y mortal, nuestras pasiones nos enceguecen: ¿cómo no aspirar a un conocimiento que sea infalible y universal? ¿Este teorema que demostramos no vale para todos y en cualquier lengua, no es indiferente al furor o a la piedad, a la simpatía o a la pasión? He ahí, pues, el camino secreto a la eternidad. Las matemáticas nos dan la clave y la ruta hacia el más allá.

El repudio del arte era entonces inevitable (como en cierto modo lo vuelve a ser en la posición sartriana), repudio que, como el mismo Platón lo sugiere cuando critica a Homero, no es tanto moral como metafísico. En los primeros diálogos todavía habla bien de los poetas, pero en los últimos los execra al par de los sofistas, como traficantes del No-Ser, como técnicos de la mentira y la ilusión. Y es natural, si se tiene presente lo que dice en *La república*: Dios creó el arquetipo de la mesa, el carpintero crea un simulacro de ese arquetipo, y el pintor crea un simulacro de ese simulacro: un desvanecimiento al cubo. (Lo que de paso nos ofrece la mejor crítica del arte imitativo o "realista"). Los artistas debían ser condenados, pues, en nombre de la Verdad, como falsificadores filosóficos.

En resumen: Sócrates inventó la Razón porque era un insensato y Platón repudió el arte porque era un poeta. ¡Lindos antecedentes para estos propiciadores del Principio de Contradicción! Hecho que simplemente muestra que la Lógica no funciona ni para sus inventores.

LA SOSPECHOSA SUBJETIVIDAD

La palabra "subjetivo" es una de esas palabras, como "metafísica", que nadie puede utilizar sin ser acusado inmediatamente de oscurantista y reaccionario, en nombre de Marx. En realidad, no sólo el existencialismo sino el marxismo parten del hombre concreto (el único que existe) lo que es tanto como decir que parten de la subjetividad. Y, como afirma Sartre, esta concepción da dignidad al hombre, pues es la única que no la considera un objeto. Por el contrario, los materialismos mecanicistas, entre los cuales deben contarse esa clase de "marxistas" a que hice antes referencia, consideran al hombre como el resultado de un conjunto de determinaciones, tal como sucede con un átomo, una piedra o una mesa, regida por la sola y ciega causalidad. El grueso paralogismo que a esos críticos hace mirar con prevención a los que hablan de subjetividad consiste, probablemente, en imaginar que darle importancia al yo implica dar las espaldas a la realidad social, para convertirse en una suerte de masturbador ontológico. En otras palabras: allí fuera, huelgas de metalúrgicos; aquí, encerrado en su propio yo, ese egocéntrico solipsista.

Pero la subjetividad para el existencialismo, como por otra parte para el verdadero marxismo, no es rigurosa y definitivamente individual, ya que en el *cogito* el hombre no sólo se descubre a sí mismo sino a los otros; contrariamente al pensamiento de Descartes y de Kant, el hombre se capta a sí mismo frente al Otro, y el Otro es tan cierto para él como él mismo. El descubrimiento de la intimidad de uno mismo es también, dialécticamente, el descubrimiento de la otra intimidad, del que se halla enfrente, convive con uno, sufre y habla con uno, trabaja con uno, comulga con uno a través del lenguaje, de los gestos, del odio y del amor, del arte o el sentimiento religioso. Esta intersubjetividad, esta trama entre los sujetos que constituye la existencia humana, se realiza a cada instante mediante la actividad de los hombres, mediante la praxis, que es la realidad del hombre y su historia. No hay, pues, tal abismo entre el sujeto y el objeto. Y esos materialistas que sobrestiman al objeto hasta el punto de considerarlo como "la" realidad, son tan metafísicos (para emplear esta palabra en el sentido marxista) como los otros, los que creen que "la" realidad es únicamente la del sujeto.

POR QUÉ SE ESCRIBEN NOVELAS

EL SURGIMIENTO de la novela occidental coincide con la profunda crisis que se produce al finalizar la época medieval, era religiosa en que los valores son nítidos y firmes, para entrar en una era profana en que todo será puesto en tela de juicio y en que la angustia y la soledad serán cada día más los atributos del hombre enajenado. Si hemos de buscar una fecha más o menos definida, creo que podemos fijarla en el siglo XIII, cuando comienza la desintegración del Sacro Imperio y cuando el Papado como el Imperio empiezan a derrumbarse desde su universalidad. Entre ambos poderes en declinación, cínicas y poderosas, las comunas italianas inician la nueva era del hombre profano, y todo el Viejo Mundo comenzará a ser derruido. Pronto el hombre estará listo para el surgimiento de la novela: no hay una fe sólida, la burla y el descreimiento han reemplazado a la religión, el hombre está de nuevo a la intemperie metafísica. Y así nacerá ese género curioso que hará el escrutinio de la condición humana en un mundo donde Dios está ausente, o no existe, o está cuestionado. De Cervantes a Kafka, éste será el gran tema de la novela y por eso será una cración estrictamente moderna y europea; pues se necesitaba la conjunción de tres grandes acontecimientos que no se dieron ni antes ni en ninguna otra parte del mundo: el cristianismo, la ciencia y el capitalismo con su revolución industrial. El *Quijote* constituye no sólo el primer ejemplo sino también su ejemplo más típico, ya que en él los valores caballerescos del Medioevo son puestos en la picota del ridículo, de donde no sólo la sensación de sátira sino el doloroso sentimiento tragicómico, el tristísimo desgarramiento que evidentemente siente su creador y que, a través de su grotesca máscara, transmite a todos sus lectores. Aquí tenemos, precisamente, la prueba de que nuestra novela es algo más que una simple sucesión de aventuras: es el testimonio trágico de un artista ante el cual se han derrumbado los valores seguros de una comunidad sagrada. Y una sociedad que entra en la crisis de sus ideales es como para el niño el fin de su adolescencia: el absoluto se ha roto en pedazos y el alma queda ante la desesperación o el nihilismo. Quizá por eo mismo el fin de una civilización es más sentido por los jóvenes, que no quieren resignarse nunca al derrumbe de lo absoluto, y por los artistas, que son los únicos que entre los adultos se parecen a los adolescentes. Y así, este derrumbe de una civilización lo testifican esos muchachos desgarrados que recorren los caminos de Occidente, y esos artistas que en sus obras describen, indagan y poéticamente testimonian el caos. La novela se situaría de este modo entre el comienzo de los Tiempos Modernos y su declinación, ahora; corriendo paralelamente a esta creciente profanación (¡qué significativa resulta esta palabra!) de la criatura humana, a este pavoroso proceso de desmitificación del mundo. Entre estas dos grandes crisis se forma, desarrolla y culmina la novela occidental. Y por eso es inútil y ocioso estudiarla sin referencia a este formidable período, que no hay más remedio que llamar "Los Tiempos Modernos". Sin el cristianismo que los precede, no habría existido la conciencia intranquila y problemática; sin la técnica que los tipifica no habría habido ni desmitificación, ni inseguridad cósmica, ni alienación, ni soledad urbana. De ese modo, Europa inyecta en el viejo relato legendario o en la simple aventura épica esa inquietud social y metafísica para producir un género literario que describirá un territorio infinitamente más fantástico que el de los países de leyenda: la conciencia del hombre. Y lo llevará a sumergirse cada día más, a medida que el fin de la era se acerca, en ese universo oscuro y enigmático que tanto tiene que ver con la realidad de los sueños.

Sostiene Jaspers que los grandes dramaturgos de la antigüedad vertían en sus obras un saber trágico, que no sólo emocionaba a los espectadores sino que los transformaba. De ese modo, eran *educadores de su pueblo*, profetas de su *ethos*. Pero luego —dice— ese saber trágico se transmutó en fenómeno estético, y tanto el auditorio como el poeta abandonaron su grave seriedad primitiva, para proporcionar imágenes sin sangre. Es posible que el gran pensador alemán al escribir estas palabras haya tenido presente cierto tipo de literatura bizantina que se da en Occidente como se ha dado en todos los períodos de refinamiento intelectual, porque, ¿cómo admitir que la obra de Kafka sea metafísicamente menos grave que la de Sófocles? Al enfrentar el hombre esta crisis total de la raza, la más compleja y profunda que haya enfrentado en su entera historia, el saber trágico ha retomado aquella antigua y violenta necesidad, a través de los grandes novelistas de nuestra época. Y aun cuando en superficie se trate de guerras o revoluciones, en última instancia esas catástrofes sirven para poner la criatura humana en las fronteras de su condición, a través de la tortura y la muerte, la soledad o la demencia. Esos extremos de la miseria y de la grandeza del hombre que únicamente se manifiestan en los grandes cataclismos, permitiendo a los artistas que los registran la revelación de los secretos últimos de la condición humana.

Ese hombre no es el solo cuerpo, ya que por él apenas pertenecemos al reino de la zoología; ni tampoco es el solo espíritu, que más bien es nuestra aspiración divina: lo específicamente humano, lo que hay que salvar en medio de esta hecatombe es el alma, ámbito desgarrado y ambiguo, sede de la perpetua lucha entre la carnalidad y la pureza, entre lo nocturno y lo luminoso. Mediante el espíritu puro, a través de la metafísica y la filosofía, el hombre intentó explorar el universo platónico, invulnerable a los poderes del Tiempo; y quizá haya podido hacerlo, si hay que creer a Platón, por el recuerdo que le queda de su primigenia confraternidad con los Dioses. Pero su patria verdadera no es esa sino esta región intermedia y terrena, esta dual y desgarrada región de donde surgen los fantasmas de la ficción novelesca. Los hombres escriben ficciones porque están encarnados, porque son imperfectos. Un Dios no escribe novelas.

ÍNDICE

Impreso en el mes de octubre de 1997
en Romanyà/Valls
Verdaguer, 1
Capellades
(Barcelona)